Situações clínicas em Gestalt-terapia

CIP-BRASIL. CATALOGAÇÃO NA FONTE
SINDICATO NACIONAL DOS EDITORES DE LIVROS, RJ

S637

Situações clínicas em gestalt-terapia / organização Lilian Meyer Frazão, Karina Okajima Fukumitsu. - São Paulo : Summus, 2019.
160 p. : il. (Gestalt-terapia : fundamentos e práticas ; 6)

Inclui bibliografia
ISBN 978-85-323-1121-4

1. Psicoterapia. 2. Gestalt-terapia - Estudo de casos. I. Frazão, Lilian Meyer. II. Fukumitsu, Karina Okajima. III. Série.

18-53256 CDD: 616.89143
CDU: 615.851:159.9.019.2

Vanessa Mafra Xavier Salgado - Bibliotecária - CRB-7/6644

www.summus.com.br

Compre em lugar de fotocopiar.
Cada real que você dá por um livro recompensa seus autores
e os convida a produzir mais sobre o tema;
incentiva seus editores a encomendar, traduzir e publicar
outras obras sobre o assunto;
e paga aos livreiros por estocar e levar até você livros
para a sua informação e o seu entretenimento.
Cada real que você dá pela fotocópia não autorizada de um livro
financia o crime
e ajuda a matar a produção intelectual de seu país.

Situações clínicas em Gestalt-terapia

LILIAN MEYER FRAZÃO
KARINA OKAJIMA FUKUMITSU

[ORGS.]

summus editorial

SITUAÇÕES CLÍNICAS EM GESTALT-TERAPIA
Copyright © 2019 by autores
Direitos desta edição reservados por Summus
Editorial

Editora executiva: **Soraia Bini Cury**
Assistente editorial: **Michelle Campos**
Capa: **Buono Disegno**
Projeto gráfico: **Crayon Editorial**
Diagramação: **Santana**

1ª reimpressão

Summus Editorial
Departamento editorial
Rua Itapicuru, 613 – 7 andar
05006-000 – São Paulo – SP
Fone: (11) 3872-3322
Fax: (11) 3872-7476
http://www.summus.com.br
e-mail: summus@summus.com.br

Atendimento ao consumidor
Summus Editorial
Fone: (11) 3865-9890

Vendas por atacado
Fone: (11) 3873-8638
Fax: (11) 3872-7476
e-mail: vendas@summus.com.br

Impresso no Brasil

Sumário

Apresentação 7
Lilian Meyer Frazão e Karina Okajima Fukumitsu

1 Atendendo em Gestalt-terapia 9
Selma Ciornai

2 A mulher-almirante, a menina-náufraga e
a terapeuta-âncora 23
Beatriz Helena Paranhos Cardella

3 O significado de ajuda em psicoterapia 43
Maria Aparecida Barreto

4 O mundo onírico e o mundo desperto:
o desdobramento da expressão existencial 59
Fátima Aparecida Gomes Martucelli

5 A *performance* de gênero em Gestalt-terapia 75
Lucas Caires Santos e Sérgio Lizias Costa de Oliveira Rocha

6 Rosa: da ansiedade pela perda do outro à *awareness*
sobre a perda de si 89
Luciane Patrícia Yano e Alysson de Oliveira Mendes

7 A delicada ponte *entre mundos*: ansiedade,
sofrimento e a experiência livre de tornar-se
adulto na contemporaneidade 105
Laura Cristina de Toledo Quadros

8 Gestalt, crianças e crescimento 123
Rosana Zanella

9 "Não precisamos ficar sozinhos..." –
Desdobramentos de uma prática gestáltica
de cuidado 139
Eleonôra Torres Prestrelo

Apresentação

LILIAN MEYER FRAZÃO
KARINA OKAJIMA FUKUMITSU

Apresentar este volume 6 da **Coleção Gestalt-terapia: fundamentos e práticas** implica contar de onde se originou a ideia de produzi-lo. Consultamos vários colegas a respeito de temas que pudessem ser de interesse de estudiosos da abordagem e recebemos de Beatriz Helena Paranhos Cardella a sugestão para que organizássemos um "livro de vinhetas clínicas em que, partindo de um pequeno recorte, os terapeutas pudessem escrever um ensaio comentando seu trabalho".

Nos títulos anteriores da coleção, versamos sobre: os fundamentos epistemológicos e as influências filosóficas da abordagem (volume 1); os conceitos fundamentais que a norteiam (volume 2); a clínica, a relação psicoterapêutica e o manejo (volume 3); as modalidades de intervenção clínica (volume 4); e os quadros clínicos disfuncionais (volume 5). Aqui, baseando-nos na sugestão de Beatriz, pretendemos mostrar como se trabalha e se pensa clinicamente em Gestalt-terapia, relacionando a prática com a teoria.

Onze autores escreveram um total de nove capítulos, que examinam diferentes temáticas clínicas: fechamento de Gestalt, trabalho com sonhos, apoio a alunos, trabalho com transexuais, trabalho com adolescentes, trabalho com ansiedade e trabalho com crianças, entre outros.

Trata-se de narrativas sensíveis e delicadas, relatadas por profissionais que diariamente dedicam seu tempo e esforço a ser testemunhas dos sofrimentos, histórias, alegrias e dificuldades de seus pacientes.

Fundamentalmente, a Gestalt-terapia se propõe a ser uma abordagem que, para além dos sofrimentos humanos, visa resgatar os processos de crescimento e desenvolvimento, colocando em cena as possibilidades e potencialidades de cada um em sua singularidade.

Queremos neste livro homenagear nossa saudosa colega Jean Clark Juliano, uma das pioneiras e grande expoente da Gestalt-terapia brasileira, que falava da "arte de restaurar histórias", título de um de seus livros[1]. Jean sabia escutar e, por meio de sua escuta amorosa e generosa, buscava novos significados e possibilidades nas histórias de seus pacientes. Este volume, baseado no relato de vários atendimentos clínicos, se propõe exatamente a mostrar como é possível "restaurar histórias".

---

1. JULIANO, J. C. *A arte de restaurar histórias – O diálogo criativo no caminho pessoal*. 3. ed. São Paulo: Summus, 1999.

1
Atendendo em Gestalt-terapia

SELMA CIORNAI

Relatar um trabalho prático, um atendimento em Gestalt-terapia... Por onde se inicia? Pelo acolhimento, pela escuta atenta e empática, pela presença plena e pelo vínculo estabelecido que caracterizam o terapeuta como uma "testemunha íntima" (Wheeler, 2000, p. 279) – isto é, uma pessoa com quem podemos compartilhar nossas questões por sentirmos que conhece e até sente algo do nosso mundo "de dentro".

Decidi relatar aqui dois atendimentos em que o aqui e agora do encontro terapêutico se conecta ao lá e então das questões vividas no passado pelo cliente e ao lá e agora de sua vida atual, que represento simbolicamente como três vértices de um triângulo "existencial".

No primeiro, relato uma sessão de terapia com um cliente a quem eu já atendia havia algum tempo. Escolhi relatá-la porque percebo nela a integração de alguns pontos fundamentais à prática da Gestalt-terapia: a necessidade de estabelecer pontes entre a compreensão teórica e diagnóstica das questões vividas pelo cliente com o realmente estar lá, para o outro e com o outro, com cuidado e acolhimento, com espontaneidade, criatividade e disponibilidade do terapeuta no uso e na proposta de experimentos. Um jeito pouco comum e não planejado de trabalhar, surgido no aqui e agora do encontro terapêutico. Sessão cheia de dor, mas também de amor.

Carlos era um cliente que estava em terapia comigo havia algum tempo. Perdera a mãe aos 3 anos de idade, e desde então fora criado pelo pai e por uma madrasta com quem nunca se deu bem. Sabia por outros que tinha sido o filho preferido de sua mãe, e repetidamente em sua vida procurava tias e pessoas que a tivessem conhecido para saber como ela era, que jeito tinha, o que sentia, o que pensava. Carlos tinha na ocasião um filho de 3 anos, com quem tinha uma ótima relação, e uma mulher, por quem era apaixonado, mas com quem frequentemente abria mão de seus limites e preferências por medo de perdê-la.

O tema da perda tão precoce da mãe estivera presente em algumas sessões. Nessa sessão específica, Carlos trouxe consigo o retrato dela. Resolvi propor um diálogo com ela, entendendo que se tratava de uma Gestalt traumaticamente inacabada, que lhe trazia um sentimento de incompletude, vazio e tristeza, além de insegurança e um constante medo de perda (que chamamos em nossa abordagem de "Gestalt cristalizada" ou fixa) em suas relações afetivas. Uma Gestalt inacabada que clamava por completude.

O vínculo e a confiança que havíamos cocriado nos deram suporte para que ousássemos mergulhar naquele experimento.

Nessa época, minha sala de atendimento tinha grandes almofadas de veludo. Sentei-me em uma delas ao seu lado e lhe sugeri que colocasse o retrato diante de si e que, imaginando que de alguma forma sua mãe pudesse realmente estar ali, falasse com ela. Ele o fez, mas após alguns momentos de silêncio me olhou e explicou: "Eu não sei o que dizer, nunca falei com ela..." Sugeri então que começasse exatamente por aí, isto é, dizendo à sua mãe que não sabia como falar com ela, pois nunca tinha feito aquilo antes. E, ao lhe sugerir isso, apaguei a luz da sala, deixando ligado apenas um abajur de canto, que trazia ao ambiente uma luz mais intimista.

Carlos aceitou minha sugestão e, ao dizer à mãe que não sabia como lhe falar porque nunca fizera aquilo antes, embargado pela emoção, começou a chorar copiosamente, contando-lhe da falta que sempre sentiu dela, de como sua vida após sua morte tinha sido ruim na casa do pai e de como sempre procurara saber dela, perguntando aos que a conheceram como era, o que pensava ou o que se lembravam dela. A fala de Carlos era entrecortada por soluços; foi quando segurei sua mão e, de forma intuitiva, comecei a falar como se fosse a mãe dele, porém sem inserir nenhum conteúdo que ele não me houvesse contado antes.

Intuitivamente senti que essa presença seria mais indicada do que a forma mais clássica de trabalho em hot seat, que consistiria em pedir-lhe que ocupasse a almofada em *frente e conduzisse sozinho o diálogo, falando com ela e por ela alternadamente. Senti que ele precisava concretamente "ouvi-la" e "ser por ela tocado".*

Eu lhe dizia: "Como você cresceu, meu filho, que rapaz bonito você se tornou! Tão alto, tão forte, olha só o seu cabelo, era tão clarinho e macio, ficou tão forte e escuro... Que bom poder me encontrar com você depois de tantos anos..."

Carlos, ainda chorando profusamente, falava com a mãe, contando-lhe de seu desejo de que ela tivesse estado presente em sua vida, tanto nos momentos mais difíceis quanto nos de maior contentamento, como na sua formatura, em seu casamento, no nascimento de seu filho...

Então eu, ainda como sua mãe, lhe disse: "Mas eu tenho estado presente na sua vida. Olha só o seu filho, com 3 anos já tão afetivo, tão carinhoso, não é? Com 3 anos uma criança já aprendeu a amar, e isso, filho, você aprendeu comigo, porque eu te amei muito. Você sempre foi meu filho preferido, sabia? Seu jeito afetivo e carinhoso de ser, de se relacionar com seu filho e sua mulher, seu jeito amoroso de lidar com as pessoas você aprendeu comigo. Fui eu que lhe ensinei isso. Por isso, não me procure fora, filho; é em você que você vai me encontrar".

Emocionados, abraçamo-nos forte e longamente enquanto seu choro se acalmava, despedindo-nos como mãe e filho. Então, acendi a luz da sala. Olhamo-nos sabendo ter partilhado um momento único e precioso e, sem outras palavras a não ser dizer que era impossível falar, despedimo-nos – dessa vez, como cliente e terapeuta.

Carlos ficou mais um tempo em terapia e concluímos o processo. Sua sensação de estar no mundo, assim como sua relação com seus afetos, se transformou. Ele conseguira fechar uma Gestalt interna dolorosamente inacabada.

Lembrar essa sessão até hoje me emociona e me faz constatar que em um encontro terapêutico verdadeiro o terapeuta precisa estar aberto, disponível a se doar e a se usar como "seu instrumento de trabalho". Deve estar disponível para experimentar caminhar por terrenos novos, desconhecidos, a fim de proporcionar ao cliente a possibilidade de fazer emergir e descongelar (ou descristalizar) o que Perls, Hefferline e Goodman (1997) chamam de emergência crônica de baixo grau de intensidade. Isso significa tornar figura da atenção do cliente e da nossa atenção um sofrimento ou aflição cronicamente sempre de fundo (no caso, o sentimento constante de insegurança afetiva, o medo de perda das relações amorosas), buscando as situações inacabadas e cristalizadas do passado para transformá-las em emergências experimentais agudas em contexto – terapêutico – de suporte e segurança.

É o que Perls, Hefferline e Goodman (1997, p. 92) apontam como exigências de um bom método. Nesse capítulo, que justamente se intitula "Realidade, emergência e avaliação", os autores escrevem que o terapeuta parte "do que surge", do que o cliente traz espontaneamente, e listam passos na estruturação do processo de um experimento para que as Gestalten fixas (ou congeladas, cristalizadas) e as inacabadas possam emergir com intensidade e se resolver ou reconfigurar no presente – passos esses que me parecem cruciais de ser estudados e aprendidos na formação de Gestalt-terapeutas:

1   O cliente, como *parceiro ativo no experimento*, concentra-se no que está realmente sentindo, pensando, fa-

zendo, dizendo: busca entrar em contato consigo mesmo em termos de imagem, sensações corporais, expressão simbólica ou verbal etc., de forma focalizada em relação à temática que surgiu durante a sessão ou que trouxe.

2 Como é algo que o interessa de modo particular, sua atenção é naturalmente atraída.

3 Devido ao experimento, o tema aflora como figura cada vez mais intensa da atenção do cliente, tornando-se mais consciente e ampliando para ele a *awareness* de si e do campo.

4 Durante o processo, o paciente é encorajado a mergulhar de forma livre e intensa no experimento, visto sentir-se em um contexto seguro.

5 À medida que o processo se desenrola, e o contato com o tema se torna mais próximo e vital, as emoções reprimidas afloram com intensidade, delineando uma emergência aguda, porém segura, dados o contexto terapêutico e o vínculo de suporte com o terapeuta.

6 Essa emergência costuma provocar uma mudança nas sensações corporais – às vezes de forma sutil, às vezes com eclosão de emoções – e uma reconfiguração da figura cristalizada, fechando ou reformulando as Gestalten que se mantinham dolorosas e cronicamente abertas, liberando assim a energia retida.

7 A *awareness* de si e do campo no lá e então, no aqui e lá e no aqui e agora se reconfigura. A diferença é que é o cliente, junto com o terapeuta, que cria e controla a emergência; não mais se trata de algo que o assola de fora.[1]

---

1. Livremente adaptado do item "A *awareness* de si próprio em emergências experimentais seguras" (Perls, Hefferline e Goodman, 1997, p. 95-96).

Nas palavras de Perls, Hefferline e Goodman (1997, p. 97),

os problemas técnicos são: a) aumentar a tensão por meio de orientações corretas; b) manter a situação controlável e ainda assim incontrolada: a situação é sentida como segura porque o paciente está num estágio adequado para *inventar* o ajustamento exigido, e não o afastar deliberadamente.

A sessão relatada contou também com o conhecimento e a experiência de como em Gestalt-terapia, partindo das situações que afloram no presente, podemos propor ao cliente um retorno imaginário ao passado, às situações inacabadas, traumáticas e por vezes esquecidas que provocaram padrões repetitivos de comportamento e limitações existenciais para que, ao retomá-las, ele tenha mais suporte pessoal e do meio para resolvê-las da melhor forma.

O capítulo V da mesma obra, "Amadurecimento e a rememoração da infância", versa justamente sobre a compreensão desses mecanismos e as estratégias de abordá-los – e constitui outro *must* na formação de Gestalt-terapeutas.

* * *

O outro caso que acho interessante relatar é o de uma cliente que gostava muito de desenhar. Ela se expressava com mais facilidade por imagens do que por palavras, e me procurou justamente por ter ouvido dizer que, além de Gestalt-terapeuta, eu tinha formação em e trabalhava com arteterapia.

Lisa era uma moça muito bonita, tímida, fechada, descendente de uma família de imigrantes alemães do Sul do Brasil que tinham uma pequena empresa familiar agrícola. Estudara

Botânica para ajudar nos negócios da família, mas resolveu morar e trabalhar em São Paulo.

Como toda família tradicional patriarcal, o pai era a figura central – muito autoritária –, ao redor do qual orbitavam mulher e filhos. Estes tiveram quase de crescer sozinhos, pois os pais trabalhavam no campo e a cliente, como filha mais velha, era encarregada de cuidar dos irmãos menores. As roupas que usavam eram feitas pela mãe com algum tecido que estivesse disponível, e Lisa se sentia diferente e até envergonhada na escola pelas roupas que usava.

Os negócios do pai se desenvolveram e hoje todos vivem bastante bem, mas ela continuava de certa forma a se sentir como a menina que não teve infância, que precisou trabalhar duro e cuidar dos irmãos muito cedo. Insegura, como frequentemente acontece, os poucos namorados que teve eram tão distantes afetivamente quanto seus pais tinham sido. Por outro lado, sempre foi muito estudiosa e exigente consigo mesma, sempre tirou as melhores notas da turma e se destacava no trabalho pela sua eficiência.

Quando chegou, olhava com frequência para baixo; sua respiração era curta e basicamente se concentrava na parte superior do corpo. Seus movimentos, assim como seus desenhos, eram contidos, fechados, mas revelavam formas, movimento e emoções internas.

Na abordagem gestáltica em arteterapia, assim como qualquer Gestalt-terapeuta, apoiamo-nos na postura fenomenológica, procurando observar o fenômeno. Para tanto, ao lidar com trabalhos de arte, precisamos aprender a olhar, descrever e ter familiaridade com a linguagem plástica – linhas, formas, composições, movimentos, texturas etc. –, sem recorrer a interpretações que muitas vezes advêm mais da subjetividade do terapeuta do que da do cliente. É importante pontuar que, em termos de linguagem simbólica, o sentido não repousa no que está representado, mas *na relação* que cada observador estabelece com o que foi representado. Toda interpretação é individual e subjetiva, e o único critério útil é se ajuda ou não a ampliar a *awareness* de si e do campo, se ajuda ou não a desvelar sentidos relevantes para a pessoa.

Consequentemente, como terapeuta, procuro apenas registrar o que percebo em termos de categorias visuais, considerando o que essas observações podem me dizer da pessoa que criou aquelas formas. O princípio do isomorfismo (mesma forma) dos psicólogos da Gestalt pressupõe que as formas representadas pelo indivíduo devem corresponder às suas formas internas (Arnheim, 1974; Ciornai, 2004). Por exemplo, em nosso cotidiano utilizamos categorias visuais para nos referir a nossos estados internos quando falamos de estarmos abertos ou fechados, para cima ou pra baixo, organizados ou caóticos, centrados ou descentrados, em harmonia ou em desarmonia, em equilíbrio ou em desequilíbrio, confusos ou com clareza, focados ou desfocados – e assim por diante.

Os desenhos iniciais de Lisa, além de contidos e fechados ao espaço, traziam também, no espaço interno, movimentos rápidos, com formas contrastantes e sobrepostas; e, às vezes, formas com uma minuciosa preocupação com organização, exatidão e perfeição, o que ela percebia como polaridades não integradas em seu existir.

Fui conhecendo e admirando cada vez mais tanto sua determinação quanto sua sensibilidade, que me tocavam. Durante nossos encontros, olhamos várias fotos de sua infância, em que seu retraimento enquanto menina era evidente. Ao mesmo tempo que ouvia seus relatos sempre emocionados, tanto da infância como de suas vivências e relações afetivas presentes, eu colocava caixas de lápis aquarelados, tintas e pincéis na mesa – e, às vezes, lã de várias cores – e a convidava a desenhar, pintar ou criar desenhos com a lã em pedaços de feltro.

Partindo de desenhos abstratos e figurativos, feitos durante a semana ou realizados durante as sessões, fomos aos poucos mergulhando em seu universo pessoal, criando um campo de confiança e explorando as conexões entre o lá e então, o aqui e lá e o aqui e agora de sua vida.

Ao longo dos meses de atendimento, observei que suas formas foram se abrindo; os limites rígidos, evanescendo; seus movimentos, ampliando-se, expandindo, ficando mais soltos e fluidos; e as cores, intensificando-se e diversificando--se, alegres e vivazes no decorrer do processo. O mesmo foi acontecendo em sua vida.

A arteterapia gestáltica

> é uma abordagem processual na qual tanto o fazer da arte quanto o processo de elaboração e reflexão sobre o que é produzido são considerados como tendo potencialmente valor terapêutico [...] os arteterapeutas sustentam-se na crença de que as pessoas podem ser agentes da própria saúde e de seus processos de crescimento, encontrando em seus trabalhos e criações sentidos que lhes sejam pessoalmente relevantes e significativos. (Ciornai, 2004, p. 15)

Assim, em relação aos conteúdos simbólicos, deixo as atribuições de sentido a cargo do cliente, colocando-me sempre como facilitadora desses processos – assim como nós, gestaltistas, trabalhamos os sonhos de nossos clientes. Vejamos algumas das formas como facilito a elaboração dos conteúdos simbólicos no processamento dos trabalhos expressivos de meus alunos e clientes, individualmente ou em grupo:

- Descreva esse desenho, colagem ou pintura na primeira pessoa: eu sou..., eu tenho..., eu me movimento...
- Dê uma voz a cada elemento ou personagem dessa imagem.
- Acrescente à voz o gesto, os movimentos... "Seja" (dramaticamente) esse elemento ou personagem.
- Se essa imagem tivesse um som ou uma melodia, qual seria?
- Como você representaria essa imagem com o seu corpo, em um gesto ou movimento? Ou com um canto, uma dança?
- O que você imagina ou gostaria de mudar nesse desenho, pintura ou escultura? O que gostaria de acrescentar, retirar ou transformar? Que tal experimentar fazer essas mudanças agora?
- O que você sente ou percebe nesse processo ou olhando agora para o resultado dele?

Como Gestalt-terapeuta, uso recursos de arteterapia e outras linguagens expressivas nos meus atendimentos de psicoterapia quando o cliente é receptivo a esse tipo de trabalho. Com alguns, quase sempre; com outros, nunca ou raramente. A figura, claro, tem de ser o cliente e não os meus recursos.

Frequentemente também sugiro que levem seus trabalhos para casa, completem e tragam poemas – ou o que lhes ocorrer escrever – ao olhar para eles.

E, às vezes, sugiro projetos mais demorados, de mapas dos fatos mais importantes da vida (linha da vida) a trabalhos com fotos de família para acessar questões transgeracionais – que chamo de arteterapia transgeracional por utilizar alguns recursos do método das constelações familiares.

No caso de Lisa, esses foram nossos últimos trabalhos: montagens com colagem de cópias de fotos dos irmãos, pais, avós e bisavós. O objetivo era possibilitar-lhe perceber que tipo de mitos familiares e heranças transgeracionais recebeu, para que pudesse escolher o que preservar e o que transformar. Montagens com colagens de fotos dela criança que lhe permitissem encontrar a mulher que ela é hoje – uma ao lado da outra, uma dentro da outra, alterando tamanhos, distâncias e contextos, a fim de ajudar a criança que nela habita a se sentir amada, acolhida e compreendida, abrindo a caixa de pandora de suas emoções e criando novas formas de relacionamento dela consigo mesma, dela com os outros e dela com o mundo.

Esses são dois exemplos de atendimento, ambos ocorridos em processos psicoterapêuticos. No primeiro, mostramos uma sessão que teve um efeito transformador com base num experimento intenso e emotivo, cujo suporte para que pudesse ter ocorrido foi, no entanto, construído anteriormente por meio do vínculo de confiança que fomos cocriando ao longo de várias sessões.

O segundo traz *flashes* de um processo que se estendeu ao longo de vários meses, em que os recursos de arteterapia foram valiosos tanto terapeuticamente como enquanto registro das mudanças que iam ocorrendo.

Um trabalho que me reencanta a cada dia pelo privilégio de poder ser testemunha íntima ou, nas palavras de Cardella (2017), anfitriã desses processos tão delicados e humanos de superação da profunda solidão a que esses sofrimentos existenciais nos remetem.

REFERÊNCIAS

ARNHEIM, R. *Art and visual perception: a psychology of the creative eye – The new version*. Berkeley: University of California Press, 1974.

CARDELLA, B. "O cuidado, a hospitalidade e o terapeuta anfitrião". In: *De volta para casa*. Amparo: Foca, 2017.

CIORNAI, S. (org.). *Percursos em arteterapia: arteterapia gestáltica, arte em psicoterapia, supervisão em arteterapia*. São Paulo: Summus, 2004.

PERLS, F.; HEFFERLINE, R.; GOODMAN, P. *Gestalt-terapia*. São Paulo: Summus, 1997.

WHEELER, G. *Beyond individualism: towards a new understanding of self, relationship and experience*. Hillsdale: GIC Press/Analytic Press, 2000.

2
A mulher-almirante, a menina-náufraga e a terapeuta-âncora

BEATRIZ HELENA PARANHOS CARDELLA

"As geografias solenes dos limites humanos..."
Paul Éluard (*apud* Bachelard, s/d, p. 157)

"Todo cais é uma saudade de pedra."
Álvaro de Campos (*apud* Alves, 2000, p. 37)

A SITUAÇÃO CLÍNICA: A CHEGADA E A PARTIDA

"Não gosto da sua regra, mas se você sabe cuidar de si mesma vai ser capaz de cuidar de mim. Então eu vou ficar."
Maria, 34 anos, em sua segunda sessão de terapia.

Na primeira sessão, tive empatia por e acolhi o sofrimento da paciente, que me tocou por sua luta e sua consciência precoce acerca da finitude ao perder o pai, vítima de câncer, aos 9 anos de idade. Ela começou a trabalhar ainda na adolescência, aos 16 anos, para ajudar no sustento da família e amparar a mãe, que sofria de depressão.

Aos 34 anos, Maria (nome fictício) tornou-se uma executiva bem-sucedida, diretora de uma empresa multinacional; ainda ajudava a mãe, que se recuperara da depressão, mas ainda demandava cuidados emocionais constantes.

Queixou-se de nunca encontrar tempo para si mesma, de não saber "parar", de viver de modo "insano" (*sic*). Tinha crises de ansiedade, insônia e intensas alergias de pele. Queria engravidar, mas disse que não saberia onde colocar uma criança na vida que levava.

A certa altura da sessão, fiz uma pergunta simples, que mudou o rumo e o fluxo da sua narrativa:

— Você cuida de todo mundo. Quem cuida de você?

Maria levou um susto. A executiva altiva transformou-se numa menina assustada, lutando e debatendo-se para não se afogar na fragilidade.

Ao nos aproximarmos do fim da sessão (ela olhava o relógio e controlava o tempo), disse que "já tinha tomado muito do meu tempo", quase se desculpando; revelava um estado de preocupação crônica e parecia tentar me "economizar", poupando-me e cuidando de mim. Imaginei que sua atitude refletia um padrão relacional e o modo como o *ajustamento criativo* inscreveu-se em sua experiência, tornando-se disfuncional.

Eu disse que agradecia sua preocupação comigo e que aquele tempo era dela; que poderia ficar tranquila, pois eu sinalizaria quando precisássemos nos despedir (eu cuidaria de mim).

Iniciei, então, a exposição das condições de trabalho, estabelecendo as bases do contrato, para que avaliasse se estavam de acordo com seus limites e possibilidades.

Maria ficou ruborizada quando mencionei que as condições incluíam o valor dos honorários, o pagamento por sessão (inclusive da primeira), a remuneração das faltas (pois haveria um horário fixo e reservado a ela) e a não reposição de sessões, salvo em situações de *exceção*, que seriam por mim avaliadas, explicitadas e discutidas com ela no decorrer do processo. Mencionei meus períodos de férias e assegurei que ela não me remuneraria durante eles nem em caso de minhas faltas eventuais. Abordei a forma de reajuste, a disponibilidade dos recibos, a frequência provável, o tempo de duração das sessões e o sigilo. Maria então me questionou:

— Mas se eu avisar com antecedência que vou faltar, mesmo assim terei de pagar?

Respondi:

— Sim. Estarei disponível para você no horário reservado, seja na sua presença ou na sua ausência.

— E a primeira consulta você também cobra? Já fui a outros terapeutas que não cobram!

Novamente respondi:

— Sim. Alguns colegas não cobram...

— Mas é muito rígido esse seu jeito de trabalhar! — ela completou.

— Sim, quanto a isso sou rígida — continuei.

Ela bufou, titubeou e percebi que tentava controlar a raiva e a insatisfação, embora permanecesse em silêncio. Eu disse que ela parecia contrariada com minhas condições de trabalho e que poderia escolher ficar ou não: eu respeitaria sua decisão. Perguntei se queria me dizer alguma coisa e o que preferia fazer. Que poderíamos agendar uma nova sessão ou que, se ela quisesse refletir, poderia me ligar quando e *se* se decidisse. Que eu compreenderia se as condições estivessem fora de suas possibilidades e se não estivesse de acordo.

Maria parecia ainda contrariada, mas afirmou sem me olhar nos olhos:

— Vamos deixar marcado.

Estabelecemos o horário seguinte e ela apanhou o talão de cheques, preencheu-o rapidamente e o colocou na mesinha lateral, avisando:

— Aqui está.

Quando deixou o consultório, tive a sensação de que ela não retornaria; saiu brava, pisando duro, mal me dirigindo o olhar, despedindo-se formalmente. Na semana seguinte, confesso que me surpreendi quando deparei com Maria na sala de espera. Tinha uma expressão mais suave de quando nos despedimos na semana anterior. Ela ase aproximou e me beijou; adentramos a sala. Ela se sentou, recostou-se na poltrona e disse:

— Saí daqui pê da vida, e pensei em não voltar. Mas eu estava muito melhor do que quando cheguei, até consegui dormir a noite inteira... Não gostei da sua regra, mas se você sabe cuidar de si mesma, vai ser capaz de cuidar de mim. Então eu vou ficar.

Respondi:

— Parece que você foi capaz de sentir raiva de mim por não ir ao encontro das suas expectativas, e pensou que eu daria conta disso sem me desmanchar. Você foi capaz de confiar em mim e, se escolheu voltar, está confiando em si mesma e na escolha que fez também; está dando uma chance a você, a mim e à possibilidade de criarmos algo importante juntas. Agradeço sua confiança. Poderemos conversar e tentar compreender os seus sentimentos; quando os expressa, você me ajuda a conhecê-la e a confiar em você. Tenho a impressão de que está me contando algo muito importante para indicar o nosso percurso daqui para a frente e me ensinando algo sobre você: sobre o que necessita para vir a confiar e para ser capaz de cuidar de si mesma.

E concluí:

— Minha percepção faz algum sentido para você?

Maria sorriu e, com expressão sofrida, disse que *sim* e que era difícil confiar, que tinha a impressão de que "se ela parasse de remar, o barco afundaria".

Paradoxalmente mais confiante, começou a me contar a história de sua desconfiança... Após esse segundo passo, passamos seis anos juntas.

Ao descrever suas experiências, Maria utilizava com frequência as seguintes *metáforas*: o barco, o leme, os remos, os nós, as avarias, as velas, os mares, o cais, as ondas, as tempestades, os *tsunamis*, os naufrágios, as bússolas, as estrelas, os horizontes, os portos, as praias, os mergulhos, os peixes, as redes, as iscas, os corais, os faróis, o fundo, a superfície, a âncora, as luzes dos outros barcos.

Maria me ensinava o idioma náutico e, à medida que eu aprendia seu idioma pessoal, estabelecemos uma comunicação profunda.

Três anos depois, Maria ficou desempregada, e nessa época o pagamento dos honorários foi suspenso temporariamente; combinamos que ela me pagaria quando voltasse a trabalhar. Conversamos longamente sobre a possibilidade de viver essa experiência e os diversos significados que a paciente atribuía a ela.

Após alguns meses de desemprego, angústias e ansiedades profundas foram reencenadas (inclusive a de "perder" a terapia), mas felizmente foram sustentadas por ela e pelo vínculo que estabelecemos.

Um tempo depois, Maria voltou a trabalhar em condições muito mais favoráveis que as anteriores. Nessa época, ao final das sessões, o cheque já era entregue em minhas mãos, *olhos nos olhos*, acompanhado de um agradecimento sincero (os honorários foram *ressignificados*: sua contribuição à relação). Certa vez, durante uma turbulência, Maria chegou a me ligar pedindo uma sessão extra. Aos poucos, passou a cuidar melhor de si mesma, a pedir ajuda e a contar com os outros.

Reposicionou-se lentamente em relação ao marido, que revelou maior comprometimento com o próprio trabalho, tornando-se mais ativo quanto às responsabilidades econômicas e compartilhando com ela os deveres da casa. Maria mencionou numa sessão que estava se "reapaixonando" por ele.

No quinto ano de terapia, Maria engravidou e passamos os oito meses de gestação fazendo sessões quinzenais; durante o nono mês, ela se disse pronta para partir. Em nosso último encontro, expressou sua gratidão. Eu agradeci sua confiança e seu amor e contei as muitas coisas que me ensinara. Comentei que hoje, quando ia até a praia e via um barco ancorado, recordava-me dela e de tudo o que me ensinara sobre a arte de navegar (o que me ofertou). Mencionei também como foi difícil acompanhá-la em alguns momentos da viagem, especialmente quando se tornava distante e exigente (o que me custou).

Ainda nos encontramos mais uma vez meses depois, quando Maria trouxe o filhinho para eu conhecer. Falamos de bebês, noites maldormidas, juntas trocamos as fraldas, embalei Pedro nos braços enquanto ela fazia xixi, tomamos café e comemos biscoitos.

A certa altura (sem olhar no relógio), Maria começou a juntar os objetos do bebê espalhados pelo *futon*. Disse que eu era muito importante para ela e para o Pedro, porque eu os ajudara a "nascer". Disse ainda que um dia contaria *nossa* história para ele.

Ofereci ajuda e fomos até o carro juntas, falando *desimportâncias*. Maria segurava o Pedro, e eu, a sacola.

Beijei seu bebê e despedimo-nos com um longo e afetuoso abraço. O barco ancorado estava pronto para zarpar.

Naquele instante não era necessário remar. As águas eram calmas e o suave balanço das ondas fazia ninar.

Pedro dormia profundamente.

A criança que vivia dentro dela também.

A TERAPIA E A POÉTICA DE NAVEGAR

"Pois estamos onde não estamos."

Pierre-Jean Jouvre (*apud* Bachelard, s/d, p. 157)

Ao recordar a experiência vivida com Maria ao longo dos anos, tenho a impressão de que poderia escrever por um longo tempo e inúmeras ainda seriam as revelações colhidas graças ao nosso percurso. Muitos mares foram navegados; diversos reparos, realizados; rotas, reinventadas e aventuras, vividas e compartilhadas...

Apresentarei a seguir dimensões do raciocínio clínico construído e ressignificado ao longo do processo, lembrando que são parcelas diminutas ou lampejos de uma compreensão constituída na complexidade dos encontros e durante seis anos de convívio e trabalho. Como nos recorda Frazão (1996), em Gestalt-terapia o pensamento diagnóstico é *processual*.

De acordo com Rehfeld (2009), a abordagem fenomenológico-existencial se caracteriza por uma compreensão ôntica e *ontológica* do paciente. Assim, ao longo do texto o leitor vai observar que transito entre esses dois registros e minhas intervenções, muitas vezes, caminham na direção de ajudar o paciente a recordar-se de como *ser humano*.

A dimensão ôntica refere-se ao conhecimento da pessoa em sua situação concreta de vida, com sua biografia, seus recursos, dificuldades, limites, conflitos, projetos – ou seja, aos fatos de sua existência. Já o registro *ontológico* refere-se àquilo que constitui o ser humano, ou seja, às condições compartilhadas com os outros homens – como a finitude, a responsabilidade, a liberdade, a singularidade, a criatividade, a transcendência, a abertura ao sentido etc. A compreensão ontológica do paciente o encaminha para suportar e sustentar a angústia da condição humana.

O trânsito entre a linguagem discursiva (representacional) e a linguagem metafórica (apresentativa/poética) acontece justamente a fim de comunicar essas duas dimensões, além de fazer jus ao idioma da própria paciente.

Tratarei a seguir de *figuras* que emergiram ao relacionar-me com Maria, sem esgotar a amplitude, a profundidade e a complexidade do campo (fundo) do qual emergiram. Devido à necessidade de síntese neste trabalho, certamente apresentarei um recorte ínfimo da totalidade da experiência, que transcende, inclusive, a minha compreensão.

De início, gostaria de assinalar a *relação terapêutica* como um experimento *em si* para o paciente. Ao ocupar o lugar ético (*o terapeuta como o próprio instrumento*), o terapeuta realiza o *cuidado ético*, ou seja, transcende a técnica, já que aparece como *pessoa* e torna-se capaz de ofertar ao paciente uma comunidade de destino, o *nós existencial*, ou seja, um lugar humano onde possa acontecer (a dimensão dialógica).

Podemos observar a importância do contrato como prática dialógica e lugar ético, e também o risco existente quando o terapeuta furta-se da responsabilidade de acolher as *próprias* necessidades e confunde estar a serviço da relação e do outro com *desaparecer, deixar de existir, ignorar limites* ou *se fazer superior* (num falso e equivocado "humanismo") – forma de onipotência narcísica que despotencializa o paciente. O profissional presta um desserviço ao processo de crescimento e à atualização de suas potencialidades, inclusive para cuidar de si mesmo e do outro (a alternância de cuidados). Tais atitudes se configuram como perversões do cuidado e adoecem o paciente.

É importante lembrar que, ao estabelecer o contrato terapêutico (vínculo formal e afetivo), o terapeuta, ao revelar dificuldades em relação ao dinheiro e sua disponibilidade *relativa* de tempo, nega o ódio, portanto *o amor:* os movimentos de separação e de união (o ritmo contato/retração). O ódio do terapeuta é integrado à relação quando cobra seus honorários e finda as sessões, realizando a destruição simbólica do paciente. É necessário acolher e confirmar a ambivalência como base de um encontro humano *real*.

Na situação descrita, observamos a importância da firmeza (meu lugar ético) e como Maria pode reconhecê-lo como lugar de *cuidado*, como fronteira, ou seja, um porto para ancorar, repousar e poder vir a ser *si mesma* (ocupar o próprio lugar). Se há *outro*, o sofrimento pode ter um fim, há esperança. Ao afirmar que se eu sabia cuidar de mim seria capaz de cuidar dela, Maria revelou um saber não apropriado sobre suas necessidades fundamentais. E, graças ao contrato, ampliou sua *awareness* e iniciou o processo de apropriação de aspectos de si mesma.

A relação terapêutica (quando tudo corre bem) alcança a restauração da abertura ontológica do paciente e abre-lhe a possibilidade de sustentar-se na condição humana partindo da própria singularidade na relação com o mundo.

Na perspectiva da Gestalt-terapia, a relação terapêutica facilita a ampliação da *awareness*, a integração de partes alienadas do psiquismo, a restauração do devir e dos processos de crescimento, o resgate da criatividade e da espontaneidade e a realização da singularidade, além de inaugurar possibilidades existenciais e abrir a esperança.

Logo na primeira sessão, foi possível observar que o sofrimento da paciente se revelava no e se relacionava com o *lugar* que ela ocupava no mundo.

Ao investigar dimensões de sua biografia me pareceu que, em virtude de fragilidades da família, houve oferta instável de certas modalidades de cuidado. Maria não pôde viver a experiência de *lar*, de encontrar morada em suas relações significativas, o que se configurava ontológica e existencialmente como um *desenraizamento* e, psiquicamente, como uma *situação inacabada* (Gestalt aberta).

Sabemos que o ser humano necessita apropriar-se de um lugar no mundo, ter uma experiência de raiz para *vir a ser*. Quando não há lugar, não há sustentação, não é possível experimentar confiança. Maria vivia num barco, sem a possibilidade de aportar, em trânsito permanente, "sem poder parar de remar, pois o barco afundaria" – experiência com qualidades agônicas.

Lembremos que a *agonia* se caracteriza pela impossibilidade de destinar o vivido; a pessoa encontra-se aprisionada na experiência, num *tempo sem fim*, sem ação criativa. Difere do *sofrimento*, que é *passagem*, possibilidade de subordinar o vivido ao devir, ou seja, ação criativa, apelo ao *outro*, esperança.

Assim, havia também prejuízos na constituição da *temporalização* (dos ritmos), o que afetava o sentido de continuidade de si, do *self* como contínua transformação, observada nas frequentes interrupções de seus ciclos de contato. Existencialmente, observamos que entraves na constituição da temporalidade aparecem como ausência de esperança.

Além disso, "pré-ocupava-se" e controlava o tempo (tentava colocá-lo sob domínio de forma estereotipada), já que não alcançava uma ação criativa, organizando o tempo subjetivamente e alcançando o tempo compartilhado (experiência intersubjetiva).

Assim, observamos falhas na constituição de *heterossuportes*, sem os quais é impossível assimilar e se apropriar pessoalmente da experiência, transformando-a em *autossuporte* (Perls, 1988). Em consequência, há prejuízos no desenvolvimento da *autoestima*. Não há autoestima sem que se tenha vivido a experiência de ser estimado, pois não há *si mesmo* sem *outro*. Tudo que somos foi, em algum momento, oferta de *alguém*. Não há *self* sem mundo. O amor por si mesmo é memória atualizada do amor de outrem. Assim, observamos que no processo de crescimento de Maria houve intercorrências na constituição das experiências de *lugar* (matriz da confiança) e de *tempo* (matriz da esperança), o que afetou a possibilidade de viver no *aqui e agora* (e repousar).

Na primeira sessão, *poupava-me* ao não ocupar o lugar e o tempo a ela destinados, e frustrou-se inicialmente quando percebeu que eu ocupava meu lugar e o meu tempo (pela cobrança dos honorários nas faltas dela); paradoxalmente, retornou para a segunda sessão *justamente por isso*. *O paciente elege um terapeuta também por nele reconhecer anseios de si, potencialidades atualizadas, ou seja, por ser o portador do futuro de si mesmo.*

Maria professou uma verdade ontológica: *o ser humano necessita de cuidado*; ao dizer que "quem encontrou o cuidado pode cuidar" (referindo-se à minha posição), revelou uma sabedoria tácita, nascida de seu sofrimento e que se configurava como pressentimento de si e esperança de futuro, seu horizonte existencial.

Maria foi precocemente informada da finitude (a morte do pai) e começou a trabalhar ainda na adolescência, o que perturbou e dificultou as experiências de *brincar* e *sonhar seu futuro* (a criatividade, a espontaneidade e a esperança). Ela se ajustou criativamente ao desenvolver a capacidade de responsabilizar-se e tornar-se independente, porém não a partir de si mesma, mas de *Gestalten abertas* que a levaram a uma adaptação excessiva e ao consequente prejuízo da própria criatividade. Não pôde criar um mundo, adaptou-se excessivamente a ele. O barco em que navegava tinha características de *frota*, sem pessoalidade. Perdia-se na multidão e, no momento seguinte, navegava sozinha e à deriva. Via sua imagem refletida pelas águas (o espelho narcísico), mas não por outro rosto humano (o espelho da alteridade).

Ao utilizar a metáfora do barco para referir-se ao próprio sofrimento e ao lugar existencial que ocupava, Maria criou uma *poética do sofrimento*. A imagem poética revelou a impossibilidade de *habitar*, já que estava permanentemente em trânsito e, assim, não podia *repousar* (fechar *Gestalten*/retrair).

Ao mesmo tempo, percebi nas metáforas a realização da capacidade de brincar, matriz da criatividade, recurso não conscientizado. Esse foi um dos recursos acolhidos e reconhecidos para ajudar Maria a constituir-se e realizar seu estilo de ser. Ela encontrou na relação comigo hospitalidade e comunicação profunda, o que foi lhe ofertando uma experiência de confiança (a dimensão dialógica).

As metáforas náuticas de Maria ao longo de todo o processo se configuravam como *idioma pessoal, revelando sua semântica existencial* (Safra, 2004). Ao conversar com o paciente na dimensão de seu idioma pessoal, o terapeuta pode compreender como ele formula as grandes questões da existência, o modo único de portar seu sofrimento e como sonha seu porvir.

Nessa perspectiva acolhi, com grande atenção e vigor, a linguagem náutica de Maria. Suas metáforas revelavam dimensões fundamentais de seu sofrimento, de seu modo de ser e de seus horizontes. À medida que abordávamos suas experiências com base nessas referências, Maria ia constituindo facetas de *self* e experienciando a *Beleza* (pelas qualidades estéticas de suas metáforas) – o que a levava muitas vezes a *surpreender-se*, acolhendo o Mistério de si mesma. Lembremos que a linguagem poética *revela e preserva* o mistério ao mesmo tempo. É a linguagem do *paradoxo*, e abre a pessoa para encontrar o *Outro* (o que está para *além de si*, a transcendência que ela é). Assim, é fundamental para libertar o paciente da captura pelo mundo, restaurando a criatividade.

Assim se deu com Maria. Tendo recebido a missão de prover e de cuidar do outro, o cuidado de si era a sombra de si mesma (*a polaridade alienada*). Sua necessidade de cuidado não tinha rosto humano; era infinito, infernal, era agonia, fossa abissal. O funcionamento de sua *fronteira de contato* encontrava-se disfuncional, já que havia porosidade excessiva num momento e isolamento no outro (as alergias de pele revelavam esse sofrimento, já que a pele é a fronteira de contato na dimensão da corporeidade).

Seu temor era o *naufrágio*, experiência do já conhecido nos encontros não acontecidos. Conscientizar-se de suas necessidades, de seus limites e fragilidades era despencar na solidão absoluta. Maria não pôde alcançar a possibilidade de confiar, já que não vivera de modo suficiente a experiência de *depender*, não tendo encontrado suporte nas figuras de cuidado frágeis e adoecidas. Trabalhamos, assim, para alcançar a *interdependência* com base em um real senso de si mesma, e não de uma atitude de autossuficiência defensiva.

A passagem escolhida por mim neste capítulo é cena paradigmática (uma *Gestalt*) que revela, na primeira sessão de Maria, três aspectos fundamentais da busca do paciente de ajuda terapêutica, aspectos esses que se farão presentes na relação com o terapeuta: o medo de repetir desencontros vividos, a expectativa de que a terapia seja realizada sem sofrimento e sem custo e a esperança do encontro não acontecido.

Ao me relacionar com Maria, percebi que seu barco precisava ser rebocado e ancorado. Necessitava de reparos para voltar a navegar em segurança. Foi necessário que eu me fizesse guarda-costeira, âncora e porto seguro para que ela tivesse a experiência constitutiva de parar de remar e sobreviver tendo com quem contar. Portanto, vivendo uma experiência de *dependência* (a situação inacabada), de ser capaz de alcançar a confiança e transformá-la em faceta de si mesma.

A suspensão do pagamento dos honorários durante o período de seu desemprego e a reconfiguração do contrato de modo que ela viesse a pagar as sessões quando voltasse a trabalhar se revelaram importantes experiências de constituição.

Aos poucos, houve um decréscimo da autossuficiência defensiva (*proflexões, retroflexões, introjeções, projeções, confluências, deflexões e egotismo*) – originalmente um ajustamento criativo para lidar com seu desamparo, mas que ao se cristalizar a adoecia. Transformava-se em preocupação crônica, sobrecarga, dificuldade de diferenciar suas responsabilidades das dos outros, cobranças infindáveis consigo e com os outros. Maria esperava receber o que não era capaz de ofertar a si mesma, criava expectativas sobre os outros para que não tivessem limites como ela não tinha, revelava dificuldade de valorizar e reconhecer o que recebia e vivia insatisfeita, solitária, sobrecarregada, frustrada e culpada.

Foi um longo caminho até que alcançasse a real *autonomia*, que é, sempre, *interdependência*. A experiência de suporte e hospitalidade vivida em nossa relação favoreceu esse acontecimento.

Em uma de nossas sessões, Maria lembrou que em nosso primeiro encontro considerara rígido meu modo de trabalhar e que agora compreendia que minha atitude tinha sido importante para ela. O barco que a acompanharia não desviava da rota com facilidade e tinha âncoras potentes. Tinha um lugar onde aportar.

Considero que a firmeza das regras do contrato e a flexibilidade de suspender os pagamentos no período de desemprego foram, paradoxalmente, experiências constitutivas e momentos transformadores no processo de Maria. Foram ao encontro de suas necessidades de constituição.

Havia um sentido na firmeza e havia um sentido na flexibilidade (experiências de fronteira), as quais puderam ser integradas na experiência relacional e, posteriormente, no sentido de si da paciente.

Ao longo do tempo, houve transformações nos padrões relacionais de Maria, em virtude da ampliação da *awareness* de seus limites e recursos, da comunicação de suas necessidades aos outros, da expressão de sentimentos, do incremento de sua responsabilidade e do cuidado consigo mesma, da diminuição de exigências e expectativas irrealistas em relação às pessoas, da capacidade de ficar sozinha e apreciar a experiência de recolhimento, do resgate da alegria e do bem-estar e da redução significativa dos episódios de insônia, ansiedade e alergias de pele.

Maria pôde constituir amor e ódio de forma integrada, sustentando a ambivalência, o que gerou espontaneidade e restauração de sua vitalidade nas relações que estabelecia. Navegar não era apenas uma experiência de *sobrevivência*: sua rota tinha agora um *sentido* conscientizado e por ela criado. A paciente experimentava prazer e alegria em navegar, conseguindo ancorar e repousar na areia das praias e tendo outros barcos como companhia.

Apropriou-se da sabedoria ofertada por seu sofrimento, reconhecendo a precocidade das perdas (e lidando com o luto pela morte do pai), a ausência de cuidados emocionais devido ao adoecimento da própria mãe, a falta de referências para lidar com obstáculos e demandas da vida adulta e a solidão. Reconhecia a *menina-náufraga* que a habitava. Também foi capaz de reconhecer a sabedoria presente em sua família de origem e as diversas ofertas recebidas ao longo de sua vida, experimentando gratidão. Seus pais eram imigrantes e seus ancestrais, comerciantes navegadores. Reconheceu o sofrimento e a sabedoria presente na sua ancestralidade e que o sofrimento de um é sempre o de muitos.

Percebeu que o que conquistara na vida até o momento era fruto de sua grande força pessoal, de sua capacidade em permanecer em sua rota. E que, em meio às tempestades, havia conduzido o barco e sido capaz de sobreviver, graças à sua resistência e determinação. Era a *mulher-almirante*.

Ela pressentia que um dia haveria lugar para aportar – seu anseio de raiz, de cuidado e de repouso. Nas noites mais calmas, ficava na proa do barco, observava as estrelas e sentia saudades do futuro.

Maria era uma grande líder, agora consciente de sua vocação, pois desde sempre trabalhou para que a embarcação de sua família de origem não naufragasse. O que inicialmente se configurava como uma *missão* (*script*), que a jogava num lugar previamente estabelecido pelas necessidades de outros, a vocacionara para *liderar*. Maria destinou o sofrimento de viver sem orientação, agora partindo de sua singularidade, orientando o percurso daqueles que liderava.

Era uma mulher corajosa, ousada, intuitiva, observadora e capaz de desbravar mares desconhecidos e de se responsabilizar, tornando-se, por suas atitudes, exemplo, referência e sustentação para os outros. Colocava-se em disponibilidade com base no próprio sofrimento (a abertura ontológica).

A diferença agora é que podia contar consigo mesma, aceitar ajuda e ser dona do próprio destino. Não era mais refém de suas fragilidades (a náufraga); acolhia seus limites e sua pequenez diante da grandeza do oceano contando com seus recursos para manejar o barco e continuar na rota escolhida. Embora assumisse, diversas vezes, a responsabilidade de comandar o barco (a dor e a delícia de ser Maria), não assumia compulsivamente a responsabilidade que cabia a outros, já que se tornara capaz de compadecer-se de seus limites humanos, de aceitar os limites de outros e de não usá-los como justificativa para descuidar-se, perdendo-se de si mesma. Não perdia mais o fôlego em mergulhos para os quais não estava preparada. Vivia, portanto, mais segura, pois seus limites a protegiam e neles aprendera a confiar.

Quando chegou à terapia, o barco, tantas vezes, rodava em círculos. Não podia ser encontrada e ficava à deriva, dilacerada pela fome, pelo frio e pela solidão. Buscar a terapia foi seu doloroso grito de socorro, mas que abriu a possibilidade de ser resgatada, cuidada e amada. Sua fragilidade foi a possibilidade de ser encontrada. Ao longo de sua história, Maria não teve ancoradouro seguro de onde pudesse partir. No anseio de pertencer, ocupou o lugar possível na embarcação precária, tornando-se uma espécie de *faz-tudo*, sem estabelecer com os ocupantes uma relação na qual se sentisse verdadeiramente importante e amada.

Permaneceu dias e noites nos porões, vigilante diante dos perigos do mar, cuidando dos feridos e poupando-os de ocupar-se dela. Mas nas noites solitárias os fantasmas da embarcação perturbavam seu sono e a impediam de repousar. Sentia-se então aprisionada no barco, à deriva na agonia do mar sem fim. Em um dia de forte ressaca, sua exaustão era tamanha que escorregou e caiu nas águas revoltas. Deu então seu primeiro grito de socorro, e começou a transformar o rumo de sua história.

A relação terapêutica se configurou durante bastante tempo como a construção de um cais onde o barco pudesse ancorar. Quando o barco aporta é possível reencontrar as pessoas amadas, fazer amigos, sonhar com viagens. E acima de tudo é possível *repousar*. Voltar ao húmus, ao chão, é realizar os mais profundos sonhos da terra.

Maria, assim como o poeta, sempre soube que "navegar é preciso" (Pessoa, 2006, p. 17), e me recordou, com sua poesia, de que só pode navegar quem é guiado pela luz de uma *estrela* e encontrou seu *cais*.

REFERÊNCIAS

ALVES, R. *Navegando*. Campinas: Papirus, 2000.

BACHELARD, G. *A poética do espaço*. Rio de Janeiro: Eldorado, s/d.

FRAZÃO, L. M. "Pensamento diagnóstico processual: uma visão gestáltica de diagnóstico". *Revista do II Encontro Goiano de Gestalt-terapia*, v. 2, 1996.

PERLS, F. S. *A Abordagem gestáltica e testemunha ocular da terapia*. Rio de Janeiro: Zahar, 1988.

PESSOA, F. *O eu profundo e outros eus*. Rio de Janeiro: Nova Fronteira, 2006.

REHFELD, A. "O que diferencia uma abordagem fenomenológico-existencial das demais?" In: PINTO, E. B. (org.). *Gestalt-terapia: encontros*. São Paulo: Instituto de Gestalt de São Paulo, 2009.

SAFRA, G. *A po-ética na clínica contemporânea*. Aparecida: Ideias e Letras, 2004.

3
O significado de ajuda em psicoterapia

MARIA APARECIDA BARRETO

"Estou relendo minha lida, minha alma, meus amores.
Estou revendo minha vida, minha luta, meus valores.
Estou podando meu jardim. Estou cuidando bem de mim."
(Vander Lee, poeta e cantor, 1968-2016)

Inicio este capítulo com uma frase de Fritz Perls (1979, p. 97) que despertou minha atenção no início do meu contato com a Gestalt-terapia: "Amigo, não seja um perfeccionista, o perfeccionismo é uma praga, uma maldição". Essa frase sempre me vem à mente, sobretudo na prática clínica. Considero que ser terapeuta é tarefa que demanda muita responsabilidade. Sempre tive um grande medo de errar, quer dizer, de "errar muito". Em contrapartida, seria muita onipotência achar que não erro, mas por vezes o fantasma do perfeccionismo me persegue. E, sempre que isso ocorre, consigo apaziguar meu coração quando lembro que tenho um corpo e sou corporeidade. O corpo sabe tudo, nós sabemos muito pouco. Nesse sentido, cabe aqui ressaltar a definição de ajuda, que significa "auxílio, amparo, socorro" (Houaiss e Villar, 2010, p. 28). Qual seriam os melhores recursos que auxiliam o cliente a fortalecer seu autossuporte? Qual seria o amparo que um Gestalt-terapeuta pode ofertar ao cliente que traz em seu sofrimento um pedido de socorro? Essas são algumas das questões que circundam este ensaio, cujo objetivo principal é o de propor reflexões acerca do significado do pedido de ajuda em psicoterapia, ilustrando com um caso clínico.

Entendo que a intuição é a inteligência do corpo e que o ser humano é o resultado da união entre o corpo, a mente consciente e a sua interação com o ambiente.

> A Gestalt-terapia é principalmente uma postura diante da vida, que implica um contato vivo com o mundo, com a pessoa do outro. Criando no encontro terapêutico condições para novas maneiras de perceber o mundo e ensaiar novas formas de diálogo. (Juliano, 1999, p. 25-26)

Assim, quem não confiar nos sinais oferecidos pelos seus sentidos, pelo seu coração ou pelas suas intuições não alcançará essa sabedoria de que Fritz Perls fala.

Claro que a busca do conhecimento é sempre um desafio necessário, mas a experiência também revela que nenhuma teoria dá conta do humano em sua totalidade. Mesmo assim, faz-se necessária atualização constante para entender o contexto em que aquela pessoa está inserida. Essa experiência ajuda a assimilar as diferenças culturais, a natureza dos conflitos e a apaziguar a ansiedade, pois, segundo Perls (1979, p. 203), esta é a tensão entre o agora e o depois. Este lapso é um vazio geralmente preenchido com planos, previsões, expectativas razoáveis, apólices de seguro. É preenchido com a repetição habitual. Esta inércia nos impede de ter um futuro e nos prende à mesmice. Para a maioria das pessoas o futuro é um vazio estéril.

O ser humano é único e singular, e a cada pessoa que encontro em meu consultório um universo novo abre-se à minha frente. Depois de 34 anos atendendo na clínica e acompanhando as mudanças da sociedade, da cultura de cada época, a mudança de geração, descubro que cada primeira entrevista é um novo início. E que quanto menos seguras as pessoas se sentem, menos alternativas encontram para lidar com seus conflitos. O terapeuta será então a passagem, o apoio ambiental, o heterossuporte necessário a fim de que essa pessoa que busca ajuda desenvolva o autossuporte para o amadurecimento.

Perls, Hefferline e Goodman (1997) entendem que, por intermédio do desprendimento criativo, o indivíduo tem a chance de abandonar suas "muletas" que não servem mais, suspender antigos sentimentos, pensamentos ou ações disfuncionais e acreditar que existem outras possibilidades.

Gosto muito do termo que Jean Clark Juliano (1999, p. 61) usa para dizer quando o outro nos impossibilita de entrar em contato com ele. Ela diz que é preciso achar uma passagem, uma "brecha", algo que ajude a nos conectar com esse ser que está à nossa frente, restrito a uma única forma de existir.

A seguir, apresento um caso clínico cujo objetivo é o de ilustrar e compartilhar maneiras de estar em terapia. Os nomes são fictícios e alguns detalhes foram omitidos para preservar a identidade da pessoa.

CASO CLÍNICO

Nome fictício: Rosa
Idade: quando iniciou o tratamento, 39 anos
Filhos: dois (6 e 11 anos)
Estado civil: divorciada
Reside: morava com a mãe, um irmão e os dois filhos

Rosa veio encaminhada pela assistente social do banco onde trabalhava e pelo psiquiatra que tratava dela havia cinco anos.

Passou por cinco tentativas de suicídio antes de chegar ao meu consultório, e teve um acompanhante terapêutico que a ajudou a voltar para sua rotina e, posteriormente, a sair sozinha.

Descendente de família espanhola, o pai já era falecido. Tem quatro irmãos, sendo ela caçula e a única mulher. Os dois irmãos mais velhos são casados, bem formados e já tinham saído de casa havia alguns anos.

Rosa namorou por quatro anos e ficou seis anos casada, tendo vários conflitos com o marido – que, depois do nascimento das crianças, passou a maltratá-la, a beber e a traí-la.

Tudo piorou com o nascimento da filha menor. Rosa entrou em depressão profunda após o parto. E, em menos de um ano, o marido abandonou a família. Nesse momento, ela passou pela primeira tentativa de suicídio utilizando-se de remédios que tinha em casa.

Após esse episódio, foi morar com a mãe, pois não tinha suporte para viver sozinha. Seguiram-se mais quatro tentativas...

Situações clínicas em Gestalt-terapia

A PRIMEIRA SESSÃO E MINHA PERCEPÇÃO

Rosa falava muito. Na maioria das sessões, revelava uma confusão de histórias. Percebi que era incapaz de fixar o olhar, não ouvia, falava continuamente, não conseguia comunicar seu sofrimento.

Tratava-se de uma psicose pela qual ela não aderia às situações em virtude da disfuncionalidade da função id do *self*. Rosa tomava uma quantidade bem elevada de antidepressivos e antipsicóticos, além de calmantes. Sem dúvida um caso grave, pois não conseguia ficar sozinha, demonstrava apego às relações confluentes disfuncionais que a faziam se sentir dependente e verbalizava que lhe "faltava sexo". Mesmo nessa condição, tentava arrumar parceiros, sobretudo homens complicados, pessoas que a usavam. As crianças ficavam praticamente aos cuidados da avó e do tio.

A maior dificuldade era trazê-la para o contato. Rosa tinha muita dificuldade de me ouvir. Qualquer pergunta ou observação que eu tentava fazer parecia instalar uma parede entre nós. Que desafio...

Como ampliar sua *awareness*? Com a *awareness* empobrecida, as obstruções no processo de formação de figura e fundo não facilitavam a superação. E, como Juliano (1999, p. 22-23) afirma, "é preciso auxiliar o cliente a hierarquizar e nomear suas necessidades, para a energia da ação ser liberada e uma *awareness* clara e límpida surgir".

Nem pensar em frustrá-la, pois eu acreditava que uma pessoa com ajustamento do tipo psicótico já está suficientemente frustrada. Em contrapartida, entendo que a necessidade tem uma função orientadora, direciona e norteia. Por esse motivo,

47

evitava em minhas intervenções a pergunta "O que você quer?", pois parecia não funcionar com Rosa. "O que você quer?" talvez fosse uma das questões às quais ela não conseguia responder porque tinha dificuldade de traduzir seus sentimentos confusos, sensações difusas e de nomear tantos sentimentos sem nome.

Passei meses só ouvindo com muita atenção. Às vezes, solicitando que repetisse o que contava na tentativa de que ela mesma se ouvisse; afinal, quem repete pede novamente por um fechamento de Gestalt.

Eu dizia: "Não entendi, me explica melhor".

O elemento recorrente era a dificuldade de falar de si mesma, sobretudo quando se tratava de suas emoções.

Ela se queixava de dores de cabeça e impaciência; demonstrava muita ansiedade e dificuldade de parar, repousar e principalmente de prestar atenção.

Mesmo com toda aquela medicação, Rosa permaneceu por meses na dificuldade de contato.

Minha direção terapêutica foi a de confiar que seria por meio do vínculo de confiança que daríamos base para uma relação genuína e mais profunda. Ela queria amar e ser amada...

Com o tempo (e um longo tempo), Rosa foi se aproximando dos filhos e tomando posse do seu lugar de mãe.

Eu sentia por ela uma imensa compaixão. Rosa é sensível, ingênua, sem maldades. Dificilmente colocava a raiva para fora e, como Fukumitsu (2016, p. 213) menciona, "[...] se não há explosão haverá implosão".

Eu percebia o tempo todo nela um "desassossego no coração", e por esse motivo compreendi que seria importante entrar na fase da confirmação de seus sentimentos e de acei-

Situações clínicas em Gestalt-terapia

tação de como ela estava na condição em que poderia estar. A busca da aceitação de como a pessoa pode ser em sua essência é incansável. E, como Perls (1979, p. 243) afirma,

Uma rosa é uma rosa, é uma rosa. "Eu sou o que sou, sou o marinheiro Popeye." Esse é o chamado enfoque fenomenológico ou existencial. Ninguém num dado momento pode ser diferente do que é nesse momento, inclusive o desejo de ser diferente.

Busquei vivenciar a experiência do outro. "Uma vez que a relação esteja estabelecida e aprofundada, as possibilidades na terapia são virtualmente infinitas" (Hycner, 1995, p. 124).

O tempo foi passando...

Já de posse do papel de mãe, sempre com a ajuda da avó das crianças, Rosa arrumou um amante – na verdade, um ex-cliente, cerca de 20 anos mais velho que ela. Ele era casado; sempre que podia ficava com ela. Muito atencioso, amoroso, dava-lhe atenção, frequentava sua casa, mostrava-se afetuoso com a criança. Viajavam de vez em quando.

Rosa voltou a sorrir. Não se importava de ele não estar sempre presente. Não queria as responsabilidades de um casamento, preferia assim.

Oito anos depois do início do relacionamento, ele disse que queria se separar da esposa para ficar com Rosa. Esta não aceitou: ficou muito assustada, e ele, muito mal. Os filhos dele interferiram e fizeram pressão para o pai permanecer no casamento.

Ele não tinha outra saída: ela o queria só como namorado.

Um mês após esse acontecimento, recebi um telefonema dele dizendo que Rosa estava internada, tentara suicídio com veneno de rato, mas já estava fora de perigo. Fiquei chocada: era a primeira vez que eu passava por aquela situação com ela. Pensei naquela música: "Começar de novo, e contar comigo, vai valer a pena ter amanhecido..."

Rosa retornou à terapia depois de um mês e meio. Seu psiquiatra também retomou o caso.

Assim que chegou, deu-me um longo abraço. Chorou bastante, ainda estava em depressão. Disse que a tentativa de suicídio fora um impulso. Sentindo-se pressionada e triste, não pensou em nada, simplesmente comprou o veneno e pronto (estreitamento da consciência e *acting-out*). Lentamente, foi se equilibrando. Recebi em consulta o amante e os filhos dela, já moços nessa ocasião.

Depois desse episódio, o amante foi se afastando, pois ficou com muito medo. Ele ficou doente, com problemas cardíacos; debilitado, afastou-se cada vez mais. Continuaram amigos. Rosa foi assimilando o processo de separação. Assimilou seu luto e o amor despendido pela relação que não continuou. Amou e sofreu. E, como Parkes (1998, p. 22-23) nos ensina,

a dor do luto é tanto parte da vida quanto a alegria de viver; é, talvez, o preço que pagamos pelo amor, o preço do compromisso. Ignorar este fato ou fingir que não é bem assim é cegar-se emocionalmente, de maneira a ficar despreparado para as perdas que irão inevitavelmente ocorrer em nossa vida, e também para ajudar os outros a enfrentar suas próprias perdas.

Quatro anos se passaram. Um dia Rosa, chegou à sessão e disse: "Estou com desejo de morrer. Não vejo sentido na vida".

Eu (terapeuta): Você está planejando?

Rosa: Sim.

Eu (terapeuta): Você confia em mim?

Rosa: Confio, lógico que confio.

Eu (terapeuta): Então, quero fazer um pedido. Conversarei com seu psiquiatra sobre a possibilidade de você ser internada antes que faça alguma coisa contra você.

Rosa relutou e disse que não queria ser internada.

Eu (terapeuta): Em outro hospital, uma coisa mais programada, planejada, preventiva, para acertar a medicação.

Rosa chorou muito, relutou, mas concordou. Liguei para o psiquiatra e ele concordou com a internação. Telefonei para a assistente social e chamei a filha. A família também apoiou a intervenção.

Dias depois recebi a filha, que me abraçou, chorou e trouxe um recado de Rosa: "Me tira daqui". Senti-me triste, muito triste.

Ela permaneceu por um mês no hospital. Depois, entrou em regime de hospital-dia, encaminhada pela própria instituição, para passar por terapia de grupo, terapia ocupacional etc. Então recomeçou o tratamento comigo.

Rosa já era aposentada nessa época. Por sugestão minha, começou a frequentar o Centro de Convivência e Cooperativa (Cecco) no Parque do Ibirapuera, onde são oferecidas diversas atividades corporais, como ioga, e cursos de artes.

As terapias de grupo foram sentidas como "muito duras" para Rosa, mas ao longo do tempo ela se percebeu mais forte e sentiu-se mais capaz de cuidar de si e de suas necessidades.

Algum tempo depois sua mãe, que era cardíaca, ficou muito doente e faleceu. Fui à missa de sétimo dia. Os filhos e o amante (amigo) me olharam parecendo estar com medo e pedindo socorro. Mas senti que Rosa estava "inteira"; sofrida, porém tranquila, apresentando contato mais enriquecido. Presente e firme, demonstrava autossuporte para enfrentar aquela difícil etapa de sua vida. Retomamos a terapia e o luto foi sendo elaborado. Ela enfim pôde falar de como a mãe era mandona e de como não tinha liberdade em casa. Os desabafos sobre sua relação com a mãe e a rememoração de más experiências permitiram a ampliação de *awareness*.

E assim se passou mais um tempo...

O filho mais velho se casou, mas ainda se fazia muito na vida dela. A filha, que era muito "grudada" nela – confluência disfuncional, forma de contato mais evidente em Rosa –, também se casou e Rosa ficou sozinha num casarão.

Ainda frequenta o grupo no hospital-dia e continua a psicoterapia comigo quinzenalmente. Pertence a vários grupos de amigos e de afazeres: grupo da ioga, grupo da jardinagem, grupo do teatro etc.

Rosa pertence aos grupos e a si. E, como a flor, pertence à beleza de ter se fortalecido em sua existência, apesar dos espinhos que carregava consigo. Rosa aprendeu a pertencer a si mesma. Relembrando os ensinamentos de Perls, Hefferline e Goodman (1997, p. 166) sobre a função do sofrimento,

qual é a função do sofrimento prolongado comum entre os seres humanos? Arriscamo-nos a conjecturar que é fazer com que prestemos atenção ao problema atual imediato e em seguida fiquemos fora do caminho, dedicando à ameaça todas as nossas faculdades, e em seguida ficando fora do caminho, para que relaxemos a deliberação inútil, a fim de permitir que o conflito grasse e destrua o que tem de ser destruído.

O irmão mais velho de Rosa ficou gravemente doente, mas ela disse que deseja "aproveitá-lo vivo, e que não está sofrendo com antecedência".

Tem um namorado novo, "sem compromisso"...

Atualmente, Rosa está com 57 anos.

CONSIDERAÇÕES E CORRELAÇÕES GESTÁLTICAS A RESPEITO DO CASO

Uma das coisas que tive de aceitar ao longo da profissão é que não há um tempo definido para psicoterapia. Algumas pessoas necessitam de acompanhamento ao longo da vida, e como Costa (2014, p. 114) aponta, "[...] na prática clínica, não se trata de questionar 'O que é isto, o tempo?', mas focar o modo de viver existencialmente na temporalidade e na historicidade do real vivido".

É preciso aceitar a complexidade dos fenômenos interpessoais – ou, como Andrade (2014, p. 154) afirma, "o contato com o outro e com o ambiente forma a pessoa, mas também pode deformá-la, ao exigir obediência e adequação em detrimento da sua expressão pessoal". Nesse sentido, na Gestalt-terapia trabalhamos com confusões e impedimentos na fronteira de contato que diminuem as possibilidades de crescimento e transformação criativa da relação homem--mundo.

A neurose e a psicose são concebidas como perturbações na elasticidade do processo de formação figura/fundo, bem como perturbação na função id, conforme apontado por Costa e Costa (2017).

Percebe-se que, quando Rosa chegou à terapia, estava em confusão, não conseguindo falar numa ordem que fizesse algum sentido; as palavras e histórias misturavam-se e não havia foco. Faltava nitidez do que representava a figura dominante.

Rosa iniciou o processo terapêutico com total falta de autossuporte, ansiedade, insegurança, baixa autoestima, dependência do outro, timidez. Ela tinha muito medo: medo de não ser aceita, de ser rejeitada, medo talvez de ser quem ela era.

Não questionava quem era, o que queria, em que acreditava. Não havia questões, apenas confusões de respostas difusas.

O ambiente em que foi criada exigiu obediência e adequação. Submetia-se a tudo em busca da sobrevivência emocional.

A relação terapêutica estabelecida por nós duas configurou-se numa morada, e essa hospitalidade foi fundamental para que houvesse abertura e sustentação naquela instabilidade que era a sua condição existencial.

Os novos grupos nos quais Rosa foi construindo inserções proporcionaram a oportunidade de adquirir novos conhecimentos e vivências. Ela foi experenciando um processo de desprendimento, ampliando seus recursos pessoais. Como Perls, Hefferline e Goodman (1997, p. 161) ensinam, desprendimento criativo implica uma atitude "acompanhada de uma emoção que é o contrário do sentimento de segurança, isto é, a fé: absorvido na atividade concreta, ele não protege o fundo mas retira energia dele, e tem fé em que este se mos-

Situações clínicas em Gestalt-terapia

trará adequado". Lentamente a paciente foi abandonando suas muletas.

Ter autossuporte é aceitar-se como se é, e inclui autoconhecimento e autoaceitação. Com o tempo, Rosa foi recuperando sua dignidade, sua autonomia, sua liberdade, seu direito de expressão e de escuta. Ela fortaleceu o autossuporte que a fez continuar enfrentando a vida. Recuperou poderes perdidos; buscou, por meio de vários trabalhos (nos grupos e na terapia individual), soluções diferentes, tornando-se mais à vontade para ser ela mesma.

Só viveu porque teve chances nessa longa travessia e se dispôs a se ajudar, nunca faltando às sessões. Fui buscando as "brechas" e, ao longo do processo, construiu um lugar. Fizemos da travessia uma opção cotidiana, observando o fenômeno tal como ele se apresentava.

É muito reconfortante poder contar com colaboradores, e o vínculo que eu tinha com ela me deu segurança para interná-la preventivamente na hora certa. Nesse caso foi necessário. Foi importante, naquele momento, cuidar de forma ativa de quem estava precisando de ajuda.

Difícil também foi descrever 18 anos de atendimento sem contextualizar cada momento, cada ciclo. No entanto, a escrita deste capítulo ajudou-me a refletir que, em um caso grave, as equipes multidisciplinares são fundamentais. Cada profissional colaborou para o ajustamento criativo em cada momento da vida de Rosa.

Essa relação exigiu de mim respeito e paciência para convidá-la a entrar em contato com aspectos encobertos de si, num tempo sem pressa, buscando um cuidado que legitimasse sua existência, procurando passagens para a revelação de quem era na sua essência.

> Bom contato significa que os indivíduos possam ver a si mesmos como partes do campo total e daí relacionar-se tanto consigo quanto com o mundo. Só quando a pessoa alcança a sua fronteira de contato e experencia ao mesmo tempo estar ligada ao meio e estar separado dele, ocorrem contato e possibilidade de modificação. (Perls, 1977, p. 85)

E foi nesse contato entre o vivido dela e o meu que se criou o campo possível para as possibilidades que foram acontecendo ao longo da trajetória de Rosa.

No início do tratamento fiquei preocupada com o diagnóstico e o prognóstico do caso. Só quando me entreguei à relação e ao contato de verdade fomo-nos familiarizando lentamente, dando espaço para que a subjetividade se fizesse presente, podendo assim experenciar seus sentimentos.

Por meio da fenomenologia, a Gestalt-terapia evidencia e busca compreender a experiência vivida que se apresenta no *com tato* (contato) entre o terapeuta e o cliente.

Em todos os contatos que tenho com os clientes, a observação do corpo vivido perante mim está sempre presente. Não só o corpo do outro, mas também me torno *aware* a respeito de tudo que meu corpo sente em todo o processo.

As questões afetivas e as dificuldades de relacionamento estão sempre presentes na terapia. Sempre que posso lembro ao outro que relação é uma construção. E para que tal construção aconteça é preciso, além de estar presente, dar permissão para que o outro o acompanhe nesse processo.

No momento em que vivemos, onde todos cobram rapidez, eficiência e resultado, torço para que o cliente possa permanecer, vivenciar, esperar e colher os frutos dessa experiência única. A partir daí, quando o cliente permanece em terapia, poderá descobrir quem é e quem está sendo. A Gestalt-terapia valoriza o contato com o cliente como o que há de mais importante na clínica. Falo aqui da relação que se estabelece e da experiência fenomenológica, na qual é possível compreender seus diversos modos de funcionamento.

A fenomenologia funciona como um "alargamento da experiência" [...] que permite a entrada de noções diferenciadas de saúde e doença, de fenômeno e cuidado. É necessário sempre se reinventar diante das inúmeras possibilidades da experiência humana. (Tatossian, Bloc e Moreira, 2016, p. 303)

E assim Rosa e eu continuamos nessa jornada possível...

REFERÊNCIAS

ANDRADE, C. C. "Autossuporte e heterossuporte". In: FRAZÃO, L. M.; FUKUMITSU, K. O. (orgs.). *Gestalt-terapia – Conceitos fundamentais*. São Paulo: Summus, 2014.

COSTA, L. C. de C.; COSTA, I. I. da. "Ajustamento do tipo psicótico". In: FRAZÃO, L. M.; FUKUMITSU, K. O. (orgs.). *Quadros clínicos disfuncionais e Gestalt-terapia*. São Paulo: Summus, 2017.

COSTA, V. E. S. M. "Temporalidade: aqui e agora". In: FRAZÃO, L. M.; FUKUMITSU, K. O. (orgs.). *Gestalt-terapia – Conceitos fundamentais*. São Paulo: Summus, 2014.

FUKUMITSU, K. O. *A vida não é do jeito que a gente quer*. São Paulo: Digital Publish & Print, 2016.

HOUAISS, A.; VILLAR, M. de S. *Míni Houaiss – Dicionário da língua portuguesa*. 4. ed. Rio de Janeiro: Objetiva, 2010.

HYCNER, R. *De pessoa a pessoa – Psicoterapia dialógica*. São Paulo: Summus, 1995.

JULIANO, J. C. *A arte de restaurar histórias*. São Paulo: Summus, 1999.

PARKES, C. M. *Luto*. São Paulo: Summus, 1998.

PERLS, F. S. *Gestalt-terapia explicada*. São Paulo: Summus, 1977.

_____. *Escarafunchando Fritz: dentro e fora da lata de lixo*. São Paulo: Summus, 1979.

PERLS, F.; HEFFERLINE, R.; GOODMAN, P. *Gestalt-terapia*. São Paulo: Summus, 1997.

TATOSSIAN, A.; BLOC, L.; MOREIRA, V. *Psicopatologia fenomenológica revisitada*. São Paulo: Escuta, 2016.

4
O mundo onírico e o mundo desperto: o desdobramento da expressão existencial

FÁTIMA APARECIDA GOMES MARTUCELLI

Desde a Antiguidade, os sonhos trazem relevância para a vida do indivíduo. A busca de desvendar mistérios tem uma longa trajetória, tanto na história quanto na ciência. Historicamente, o movimento consistia em descortinar o encoberto para revelar o sentido e o significado da mensagem do mundo onírico.

Na mitologia grega, Morfeu era o deus dos sonhos, sendo o principal dos Oneiros, os mil filhos de Hipnos, deus do sono e da sonolência. Era representado com asas e voava rápido e silenciosamente, o que lhe permitia chegar a qualquer lugar a qualquer momento. Morfeu encarregava-se de induzir os sonhos a quem dormia e de adotar uma aparência humana para aparecer neles, especialmente igual a de entes queridos, permitindo aos mortais fugir, por um momento, do olhar dos deuses.

Inadvertidamente, Morfeu revelou segredos aos mortais por meio de seus sonhos, e por isso foi fulminado por Zeus. Do seu nome provém o nome da droga morfina, em virtude de suas propriedades que induzem à sonolência e têm efeitos análogos ao sonho. E toda noite Morfeu vem nos abraçar e nos fazer sonhar: por isso diz-se que dormir bem é estar nos braços de Morfeu.

Nos templos de cura de Asclépio (ou Esculápio), o deus da medicina, peregrinos eram preparados – por meio de alimentação, banhos e massagens – para sonhos terapêuticos que os levassem a encontrar a cura dos seus males. No Antigo Testamento, os sonhos necessitavam de homens escolhidos por Deus para interpretá-los. O Novo Testamento é permeado por grandes revelações feitas durante os sonhos, mas apenas os escolhidos tinham essas revelações. Assim, os sonhos só eram revelados a seres diferenciados, e geralmente com a ajuda de outros escolhidos para a interpretação.

Com Freud, em 1900, os sonhos tomam outra vertente: juntam-se à ciência. Por meio de estudos e observações aponta-se para um inconsciente que acolhe elementos não assimilados pela consciência e podem ser revelados com a intervenção de um analista.

Com Jung, os sonhos passam a ser compreendidos pela análise de imagens e arquétipos, também com a possibilidade de acessar o inconsciente coletivo.

Para os tibetanos, os sonhos são ensaios da grande passagem desta vida para a dimensão divina. Eles acreditam que os sonhos trazem um novo despertar.

Tenzin Wangyal Rinpoche (2010, p. 34) diz: "Observe suas experiências oníricas para saber como você vai se sair na hora da morte".

Para as tribos indígenas, os sonhos trazem mensagens dos ancestrais, da natureza e têm a função de setas (bússolas) para o direcionamento futuro da aldeia. Os sonhos são compreendidos para a coletividade. Mesmo que tenham mensagens para um indivíduo, são parte do todo da aldeia. Entre alguns povos, existe uma prática matutina chamada de Roda do Sonho. Nela, reúnem-se 50 pessoas que fazem uma roda e começam a contar os sonhos, que vão dando direção para o cotidiano da aldeia. Entre os krahôs, um povo muito festivo, existe o sonhador da tribo. Se há uma reunião ou uma dança em volta do fogo, ele se deita com a cabeça voltada para a fogueira e dorme. Depois, no dia seguinte, narra o sonho. Os povos lidam com o sonho como um momento de liberdade do espírito, quando este vê tudo por todos os ângulos.

Segundo o escritor e ambientalista Kaká Werá Jecupé, de origem tapuia, o sonho é o momento em que estamos despidos da estrutura racional de pensar. Estamos no puro estado de espírito, no *awá*, no ser integral. É então que entramos em conexão com a nossa realidade mais profunda. No sonho, literalmente, o espírito viaja e pode ser direcionado para onde quiser ou para o momento que quiser. Isso exige treinamento, assim como aprender a falar. A concepção de sonho para um índio não é a concepção de algo irreal e implacável. No sonho, encontra-se a multidimensionalidade do mundo.

Observando as ideias de diferentes culturas sobre os sonhos, obtemos uma análise interessante de por que Morfeu foi condenado por Zeus ao revelar os segredos dos sonhos para os humanos: depois desse ato, cada um poderia compreender os próprios sonhos. Historicamente, os sonhos voltaram a ser domínio de interpretação de alguns escolhidos com dons divinos para revelar as imagens oníricas ao sonhador. Com os tibetanos, transformam-se em uma experiência singular de preparação para a morte. Para os indígenas, trazem ensinamentos da singularidade para o coletivo. O sonho de um contém a sabedoria para todos. Nessas três culturas, não existe mais um intermediário para decifrar o significado: o sonho em si é a revelação, uma vivência, e contém sabedoria para todos.

O sonho é uma experiência existencial que busca a integração de suas partes que, por sua vez, são diferentes do todo do sonhador. Assim, ele é vivido pela totalidade do sonhador. Nesse sentido, diante de um pesadelo, a respiração e os batimentos cardíacos se alteram, e podemos acordar com sensações de medo, prazer e alegria que por vezes servem como sinais de alerta no mundo desperto, pois muitas delas podem continuar conosco mesmo quando acordamos dos sonhos e/ou pesadelos.

O psicoterapeuta é um facilitador, um heterossuporte cuja presença atenta e escuta empática podem viabilizar o estabelecimento de pontes no diálogo entre as partes apresentadas no sonho, mas é importante ressaltar que apenas o sonhador terá a síntese e a integração do significado da sua vivência onírica. Os elementos que aparecem nos sonhos são partes alienadas do próprio sonhador.

Talvez nós, psicoterapeutas, possamos nos tornar auxiliares de Morfeu, o deus que deu ao humano o direito de conhecer o significado dos sonhos, sem a necessidade de seres escolhidos e especiais para revelar o que pertence a cada um. Morfeu, que perdeu seus poderes por Zeus ficar zangado, não deixa de visitar os humanos na hora do sono. E, utilizando a metáfora do mito, acolhe em seus braços o sonhador. Nós,

Situações clínicas em Gestalt-terapia

psicoterapeutas, oferecemos nossa presença como acolhimento e suporte para que nossos clientes desvendem os mistérios de seus sonhos.

Os sonhos trazem certo fascínio cujo chamado é o de ser revelado e compreendido, tal como uma Gestalt que se forma. Quando acordamos, o desejo de dividir a experiência é enorme. Contamos para quem estiver na frente: "Tive um sonho estranho" ou "Preciso contar o sonho que tive". Os sonhos são vivências que trazem mobilizações de energia e pedem por escuta, presença e diálogos.

Apresento um trabalho com sonhos que facilitei em um grupo de estudos composto por 12 indivíduos, todos psicólogos com atuação clínica. O tema era "sonhos recorrentes". Felipe (nome que o sonhador escolheu para ser apresentado neste trabalho) demonstrou desejo de contar seu sonho recorrente.

"Eu tive contato com esse sonho a partir dos 7 anos de idade, e depois disso ele foi recorrente até os 22 anos, sendo bastante frequente na faixa de idade entre 7 e 10 e também 20 e 22. O sonho sempre era igual, nada mudava..."

Somos levados a pensar que a repetição dos sonhos serve para atenuar, e depois apagar definitivamente o halo afetivo que cerca o vestígio mnêmico da situação estressante. Enquanto esse conflito interno não for resolvido, o sonho que o exprime tenderá a se repetir. (Ginger e Ginger, 1995, p. 205)

Convidei Felipe a se sentar à minha frente e os participantes do grupo, ao redor de nós. Pedi a ele que contasse o sonho na primeira pessoa, trazendo a descrição como se estivesse sonhando naquele exato momento – presentificando assim seu sonho, como nos ensina Perls (1977, p. 101):

> Em Gestalt-terapia, nós não interpretamos sonhos. Fazemos com eles algo muito mais interessante. E em vez de analisar e contar o sonho, nós queremos trazê-lo de volta à vida. E o jeito de trazê-lo de volta à vida é reviver o sonho como se ele estivesse ocorrendo agora. Em vez de contar o sonho como uma estória do passado, encene-o no presente, de modo que você realmente se envolva.

Continuando com a descrição do sonhador, ele prosseguiu: "Estou em um local escuro, deitado no chão, não consigo me mover. Há umas pessoas à minha volta, todas em pé, com a cabeça voltada para baixo. Estão me olhando. Porém, essas pessoas, ao olharem nos meus olhos, não têm face, mas sim um 'borrão', uma mancha, sem olhos, boca nem nariz. Ainda assim, mesmo sem poder ver essas características, eu sei que sou julgado, rejeitado, criticado. Sou uma criança, e essas pessoas ao meu redor são adultas. Elas não fazem nenhuma ação, apenas estão me encarando e em pé".

Felipe fez o relato de olhos fechados e seu corpo demonstrou vários movimentos: as mãos se fecharam com força, o tórax ficou inclinado, o rosto parecia demonstrar pavor e a respiração ficou mais acelerada.

Pedi a Felipe que abrisse os olhos e nos contasse os sentimentos que estavam presentes: "Desespero, solidão, desamparo e angústia", ele afirmou.

Felipe explicitou suas sensações olhando para o chão. Pedi, então, que as repetisse, porém olhando nos meus olhos. Felipe olhou nos meus olhos e expressou o primeiro sentimento: "Desespero". Voltou o olhar para o chão. Seguiu-se um choro que parecia ter a companhia de seu corpo: ele cerrou as mãos novamente, inclinou o tórax e, mais uma vez, sua respiração se tornou mais acelerada. O desespero de seu sonho parecia se evidenciar em sua corporeidade.

Ficamos todos em silêncio, mas com presença atenta, dando permissão para que a dor tivesse passagem, como a saudosa e amada Jean Clark Juliano (1999, p. 75) expressa:

> Um diálogo foi interrompido, um grito ficou solto no ar e não foi ouvido pela pessoa a quem se destinava... A consequência de não ser ouvido numa fase tão sensível e precoce é a instalação de uma descrença na possibilidade de ter um parceiro interessado; a pessoa não é capaz nem de ser uma boa parceira de si mesma.

As mãos fechadas se abriram para pegar um lenço oferecido por mim. O lenço percorreu com suavidade o rosto que outrora desvelava certo pavor, e sua respiração parecia, naquele momento, acompanhar o fluxo da ampliação de *awareness* – o qual pode ter propiciado certa delicadeza para que apaziguássemos o desespero que parecia atormentar o sonhador. Ficamos mais um pouco em silêncio a fim de contemplar o fluxo contínuo de ampliação de *awareness*, bem como o enriquecimento de contato para com as partes de Felipe, sobretudo daquelas pelas quais nunca sentiu acolhimento em sua existência.

Nesse sentido, quero salientar que o Gestalt-terapeuta deve tentar se sintonizar com o fluxo do cliente, ou seja, o ritmo do trabalho tem de se basear no "encontro relacional", que requer a escuta da "melodia" interna do cliente. Melodias cujas pausas e a coreografia singular e da relação psicoterapêutica devem seguir a musicalidade que permeia a compreensão do que emerge como figura para o cliente. Nesse sentido, podemos considerar o apontamento de Zinker (2007, p. 62) quando menciona que o processo criativo acontece na relação entre terapeuta e cliente: "O terapeuta criativo é experimental. Sua atitude inclui o uso de si, do cliente e dos objetos do ambiente a serviço da invenção de novas visões das pessoas".

Felipe, após uma respiração profunda e com voz baixa e pausada, começou a falar:

"Não consigo olhar nos seus olhos. Desde criança, aprendi com minha família que não deveria olhar ao falar com alguém. Eu não deveria olhar nos olhos diretamente, pois isso era uma 'relação de igualdade'. Como eu era criança e o outro, um adulto, eu tinha de ser submisso e aprender a respeitar. Além disso, meus pais foram bastante ausentes durante minha infância e adolescência, e precisei lidar sozinho com angústias e tristezas. Esse comportamento esteve presente em toda a minha vida, principalmente em relação a conversar com alguém olhando nos olhos. Tive bastante dificuldade de me relacionar com as pessoas, pois me considerava submisso e inferior ao outro. Essa sensação me fez ter uma característica mais tímida, com uma preocupação extrema com o outro (será que ele me criticará se eu disser alguma coisa? Se eu mostrar quem sou, será que ele continuará gostando de mim?). Tudo isso fez que, no final, eu escondesse minhas características e meus pensamentos pelo medo da rejeição.

O fato de me considerar sempre diferente, estranho, submisso e inferior ao outro me fazia ficar sozinho, sem conseguir conversar com alguém de forma positiva. Ainda no período da adolescência, passei por um momento delicado. A partir dos 16 anos, comecei a ter depressão, e com o adoecimento vieram também as ideações e tentativas de suicídio. Isso aconteceu pela dificuldade que eu tinha de conversar com as pessoas à minha volta, principalmente garotas, com as quais não conseguia manter contato visual – ou, se o fazia, me sentia mal e inferior (eram comuns pensamentos como: 'você não vale nada', 'você não será importante', entre outros). E também por atravessar o término do meu primeiro namoro (com a primeira garota com quem conversei na minha vida). Com essa situação, a timidez e a dificuldade de conversar com as pessoas foram se agravando. A solidão era tanta que o diretor do meu colégio foi quem percebeu que eu estava precisando de ajuda, e não os meus pais. Quando o diretor os chamou para conversar sobre a minha situação, eles se sentiram surpresos por não entenderem o que estava acontecendo. Como dá para perceber, minha relação com os meus pais nunca foi de intimidade nem de proximidade."

O aqui e agora inclui experiências passadas e projetos futuros vivenciados no presente. Figura e fundo trazem as polaridades, tais como os aspectos reconhecidos da personalidade e os que estão dissociados dela. Para Perls (1977, p. 46),

trabalhando a unidade e a desunidade dessa estrutura da experiência aqui e agora, é possível refazer as relações dinâmicas da figura e fundo até que o contato se intensifique, a *awareness* se ilumine e o comportamento se energize. E o mais importante de tudo, *a realização de uma Gestalt vigorosa é a própria cura, porquanto a figura de contato não é apenas uma indicação da integração criativa da experiência, mas é a própria integração.*

Felipe revelou sua história narrando um sonho recorrente que teve entre 7 e 22 anos. É preciso compreender os conflitos que provocam sofrimento no aqui e agora. Quando isso acontece, a ampliação de *awareness* favorece o autossuporte que auxiliará a pessoa a conquistar maior nitidez sobre seu existir, momento a momento.

> Perls propõe uma maneira de intervenção clínica em que, em vez de promover a busca "arqueológica" no passado pelas causas do sofrimento atual, o terapeuta incentiva a "concentração" do consulente nas manifestações presentes desse passado, tal como elas se dão na atualidade da sessão. Dessa forma, o consulente recobra a *awareness* de seus próprios modos de ajustamento, da maneira como se interrompe e das possibilidades que ainda lhe restam ou que a atualidade inaugura para lidar com o que tiver restado como situação inacabada vinda do passado. (D'Acri, Lima e Orgler, 2007, p. 24)

Com o "pedido" de ampliação da função de contato do olhar – contato descontinuado pelos vários "deverias", introjeções disfuncionais e autocobranças em demasia de que não poderia estabelecer uma relação de via de mão dupla e de que não conseguia manter relações nutritivas –, o "olhar" pôde ser função da qual Felipe integrou "olhar" e "enxergar" seu sofrimento. E, por meio do choro, ele conquistou a possibilidade de integrar sua história e trilhou a "ponte" para o diálogo comigo e com o mundo.

Para enxergar, é preciso olhar e ter contato com o que se vê. Portanto, vale lembrar os ensinamentos de Polster e Polster (2001, p. 144) em relação às funções de contato: "[...] ver nem sempre é inteiramente prazeroso. Algumas vezes os sentimentos que acompanham ou resultam do ver podem ser insuportáveis".

Os adultos do sonho recorrente não tinham olhos, boca, nariz nem ouvidos, todos órgãos dos sentidos e das funções de contato. As mãos, durante o relato do sonho e das sensações, apresentavam força diante da narrativa de pura fragilidade.

O Gestalt-terapeuta é particularmente atento a quaisquer manifestações corporais de seu cliente: posturas e movimentos aparentes, microgestos semiautomáticos, como que "lapsos do corpo", reveladores de processos em curso. Observa a voz, o ritmo respiratório, sua amplitude ou seus bloqueios, assim como a circulação sanguínea, perceptível, por exemplo, pela palidez ou rubores localizados. Em Gestalt, o sintoma corporal é deliberadamente utilizado como "porta de entrada" que permite um contato direto com o cliente, respeitando a via que ele mesmo escolheu, embora, com frequência, involuntariamente. (Ginger e Ginger, 1995, p. 161)

Apontei: "Felipe, observe suas mãos. Descreva esse movimento que está acontecendo".

Felipe: "Estou apertando as mãos e em seguida realizo vários pequenos movimentos".

Eu: Há bastante força e energia em suas mãos. Você gostaria de moldar os elementos do sonho em argila?

Um sorriso acenou o aceite ao convite. "Algumas vezes podemos criar rituais que tornem ainda mais nítidas as imagens do sonho; podemos desenhá-las, moldá-las em argila, escrever mais sobre elas depois da sessão" (Juliano, 1999, p. 57).

Felipe começou a trabalhar com a argila e fez um boneco deitado e três em pé, que ficaram em volta do deitado. Felipe confeccionou contando, entre sorrisos, que não tinha habilidade artística, mas estava gostando e até surpreso com o resultado.

O trabalho de modelagem em argila parece ter redistribuído a energia por todo o seu corpo, pois sua voz se tornou mais nítida, a respiração ficou mais fluida e ele sorria enquanto modelava os adultos sem face que causavam tanto temor nos sonhos.

No sonho recorrente, os adultos eram enormes; a criança, pequena. Já na representação em argila, todos tinham o mesmo tamanho. Apontei essa percepção dos diferentes tamanhos e sugeri que colocasse um boneco adulto deitado e o boneco criança em pé.

Felipe ficou olhando para os bonecos de argila de forma compenetrada. Algo estava sendo desvelado. Um silêncio diferenciado emergiu novamente e se fez presente entre nós. Silenciei também, pois acreditei que algo estava acontecendo, e dei tempo para que ele pudesse compartilhar conosco naquele momento. Foi quando Felipe interrompeu o silêncio, dizendo: "Eu também fico sem rosto quando não olho as pessoas".

Na utilização do sonho como experimento, o cliente/paciente poderá falar sobre este, identificando elementos em termos de importância, e isso permitirá que a pessoa assuma a responsabilidade (tomada de responsabilidade individual pela sua própria vida, em vez de culpar os outros) pelos sonhos, aumentando a consciência de seus pensamentos e emoções. (Seligman, 2006, p. 32, tradução minha)

Felipe olhou para cada um do grupo. Olhou nos meus olhos, parecendo me enxergar e, ao mesmo tempo, enxergar-se. Nada disse com palavras; porém, tudo parece ter se revelado em seu olhar. Depois, gentilmente recolheu seus adultos sem rosto, como se estivesse recolhendo um tesouro.

O experimento é a pedra angular do aprendizado experiencial. Ele transforma o falar em fazer, as recordações estéreis e as teorizações em estar plenamente presente aqui, com a totalidade da imaginação, da energia e da excitação. Por exemplo, ao reviver em ato uma antiga situação inacabada, o cliente é capaz de compreendê-la com mais riqueza e completar essa vivência com os recursos de sua nova sabedoria e entendimento de vida. (Zinker, 2007, p. 141-42)

Nesse momento, abrimos um espaço para trocas, observações, sensações, sentimentos, imagens, percepções dele e do grupo. Os participantes do grupo e colegas relataram as reverberações vividas por meio do trabalho com Felipe. "Garantir que a pessoa já tenha se retomado por completo é muito importante, bem como um fechamento que lhe dê suporte consciente para deixar a sessão e enfrentar o seu dia no mundo (Juliano, 1999, p. 57).

A escuta atenta e empática de cada participante do grupo permitiu que todos entrassem em contato com os próprios temas ou situações inacabadas, evidência de quanto há reverberações e ecos nas experiências de uma pessoa no grupo que *partilha com.*

Sentimentos como medo, raiva, solidão e abandono, trazidos por Felipe com profunda emoção, tocaram a história de cada participante. Todos nós, na condição humana, experimentamos esses sentimentos. Quando ouvimos as dores e questões do outro, abrimo-nos à possibilidade de contato de forma intensa e genuína com nossa suprema humanidade. Importante lembrar que Felipe, pela primeira vez, revelou seus sentimentos a adultos que mostravam a face, os olhos na direção dele, com escuta atenta e presença plena.

> Ao proferir a palavra, o ser do homem se projeta ao outro que lhe está defronte, sai de sua egocidade e entra em relação com este outro. Instaura a sua existência e torna-se invocação do outro, invocação à realidade deste outro em sua existência, através do diálogo, e da relação dialogal que empreendem. Existir, para Buber, significa coexistir. (Holanda, 1998, p. 159)

Felipe contou ao grupo que sentiu acolhimento de todos os presentes durante o processo vivido. Foi algo mais do que contar: Felipe estava exercitando, no exato momento do "aqui e agora", o diálogo e as ressonâncias dos sentimentos que o assombravam no mundo dos sonhos e revelavam uma profunda solidão. Felipe teve a escuta dos participantes, mas também pôde ouvir seus medos e assombros. A possibilidade de compreensão por meio do diálogo reconfigurou a percepção de Felipe. "O diálogo é uma relação e a relação não é um evento que intervém ao homem, mas acontece entre o homem e não importa o que lhe faça face. Isto possui uma singular significação: o ser somente se determina quando em relação" (Holanda, 1998, p. 159).

Podemos observar que, no processo vivido da narrativa do sonho em grupo até o seu término, ocorre um aprendizado mútuo. Todos os presentes são envolvidos nesse campo relacional. Cada etapa e suas descobertas são vivenciadas simultaneamente, os sentidos e significados mostram-se singulares. O trabalho aqui relatado ocorreu no ano de 2016. Ao pedir autorização a Felipe para publicar o experimento, o aceite foi pronto. Ele acrescentou que se sentiu honrado e feliz por muitos, depois desse episódio, "olharem sua experiência de vida e sua vivência". Solicitou que fosse ressaltado neste ensaio o fato de que nunca mais o sonho se repetiu. Atualmente, quando olha alguém nos olhos, Felipe consegue se ver também.

Terminamos este capítulo com Perls (1977, p. 25):

> Uma técnica gestáltica de *integração* é o trabalho com sonhos. Nós não fazemos jogos de interpretação psicanalítica. Suspeito que o sonho não seja um desejo satisfeito, nem uma profecia do futuro. Para mim, é uma mensagem existencial. Ela diz ao paciente qual é a situação de vida e especialmente como modificar o pesadelo de sua existência, tornando-se consciente e assumindo seu lugar histórico na vida. Em uma cura bem-sucedida, o neurótico desperta de seu transe de ilusões. No Zen-Budismo este momento é chamado despertar (satori).

Em Gestalt-terapia, o fio condutor para a integração é unirmos nossas partes alienadas e, mais do que formamos um Todo, sermos a manifestação desse Todo que é a nossa existência.

Morfeu trouxe aos humanos a condição de entender os próprios sonhos sem a interferência dos deuses. Em Gestalt-terapia, Fritz Perls nos ensina que a presença plena permite ao sonhador resgatar suas partes soltas ou perdidas e moldar seu sentido. Somos todos artistas, artesãos e escultores dos nossos sonhos, sentidos e escolhas.

Desejo que você, leitor, possa, esta noite, adormecer nos braços de Morfeu e, ao despertar, "a cor dar" para um novo "amanhã Ser".

Bons sonhos!

REFERÊNCIAS

D'ACRI, G.; LIMA, P.; ORGLER, S. (orgs.). *Dicionário de Gestalt-terapia: "Gestaltês"*. São Paulo, Summus, 2007.

GINGER, S.; GINGER, A. *Gestalt – Uma terapia do contato*. São Paulo: Summus, 1995.

HOLANDA, A. F. *diálogo e psicoterapia – Correlações entre Carl Rogers e Martin Buber*. São Paulo: Lemos, 1998.

JULIANO, J. C. *A arte de restaurar histórias: o diálogo criativo no caminho pessoal*. São Paulo: Summus, 1999.

PERLS, F. S. *Gestalt-terapia explicada*. São Paulo: Summus, 1977.

POLSTER, E.; POLSTER, M. *Gestalt-terapia integrada*. São Paulo: Summus, 2001.

RINPOCHE, T. W. *Os yogas tibetanos do sonho e do sono*. São Paulo: Devir, 2010.

SELIGMAN, L. (2006). *Theories of counseling and psychotherapy: systems, strategies, and skills*. 2. ed. Upper Saddle River: Pearson, 2006.

ZINKER, J. *Processo criativo em Gestalt-terapia*. São Paulo: Summus, 2007.

5
A *performance* de gênero em Gestalt-terapia

LUCAS CAIRES SANTOS
SÉRGIO LIZIAS COSTA DE OLIVEIRA ROCHA

Este capítulo aborda o processo de transexualização de um sujeito que colaborou com sua vivência em um projeto de iniciação científica que se desdobrou na produção de um documentário realizado para compreender as transformações vividas por ele após a descoberta de sua identidade trans. Os depoimentos foram gravados em alguns encontros com o sujeito, inclusive em sala de aula, em uma roda de conversa com seus colegas de turma, os quais tiraram dúvidas e fizeram reflexões sobre a emergência de uma identidade de gênero que não era bem conhecida por muitos. Essa vivência foi importante não só para que João (nome fictício) compartilhasse e se apresentasse de uma forma nova aos colegas, mas para que os próprios colegas assimilassem junto com ele o que estava acontecendo. João se apresenta de forma leve e afirmativa no documentário e deu-nos anuência para as considerações gestálticas de seu processo, as quais apresentaremos aqui. As falas e os depoimentos nos quais nos basearemos podem ser vistos no curta-metragem *Performance de gênero*, disponível na plataforma YouTube.

A Gestalt-terapia não tem uma literatura que aborde e fundamente o trabalho clínico com transexuais. O que faremos neste capítulo é uma espécie de hermenêutica do audiovisual produzido, tomando as falas do sujeito, as de seus colegas e outros elementos do vídeo à luz de estudos transversais, relacionando-os com os fundamentos da literatura gestáltica. Um conceito que se aproxima da ideia de *performance* sobre o qual discorreremos é o de personalidade. De acordo com Perls, Hefferline e Goodman (1997, p. 187), "a personalidade é o sistema de atitudes adotadas nas relações interpessoais [...]; na qualidade de estrutura do *self* é também em grande parte descoberta-e-inventada [...]".

Desse prisma, destaca-se o gênero das pessoas trans como força representativa de outros modos de conceber o perfil da identidade feminina ou masculina em termos sociais e reinventa-se o conceito de homem e mulher ou, ainda, dos corpos *queer* que extrapolam a estrutura binária homem-mulher (Butler, 2003).

PERFORMANCE DE GÊNERO DE UMA IDENTIDADE TRANS

"Porque eu chego e digo: lelê, mulher! Aí eu... não posso". Essa é a fala que inicia o vídeo no momento em que uma colega de turma utiliza a expressão "mulher" ao abordar João e, percebendo o que diz, se corrige. Sua preocupação em tratá-lo no gênero com o qual ele se define faz que repense sua fala, mas não impede que ela escape de tratá-lo com base no sexo biológico, como estava acostumada. Conforme a literatura gestáltica, "a fala reflete facilmente toda e qualquer experiência" (Perls, Hefferline e Goodman, 1997, p. 132).

Em sala de aula, outra colega se interessa em conhecer o processo de João e pergunta: "Eu queria saber como que começou isso para você. Quando você deparou com isso..." Observamos que ela usou o "isso" para o fenômeno da transexualidade de forma "coisificante". Ela estava curiosa sobre o que é "isso"? Diz: "Queria saber como foi o seu histórico até chegar ao que é hoje". Considerando as *performances* de gênero hegemônicas, que dizem respeito a homem e mulher de sexo biológico cuja orientação é heterossexual, o "isso" pode ser considerado um estranhamento a essa condição. O componente curricular era o de Psicologia e Arte, em que João se dispôs a falar sobre sua experiência no módulo "A vida como obra de arte". Nesse sentido, entendemos também a *performance* de gênero como uma experiência estética existencial, não nos mesmos moldes de uma *performance* unicamente artística, mas de um artista-pessoa que pode fazer da vida uma obra de arte. É importante também considerar que a universidade, assim como o *setting* clínico, dá grande espaço para a elaboração de processos como esse, num clima de empatia e respeito em que todos se modificam juntos.

João responde que veio de uma cidade muito pequena. A chegada a Vitória da Conquista e à universidade acaba por facultar-lhe um encontro com a novidade de uma identidade transexual com a qual ele se identifica, e então ele segue o seu processo. João responde: "Até então, a transexualidade como conceito foi descoberta no ano passado". Percebe-se que ele tanto trilha na linha de uma *awareness* sobre sua escolha, de modo existencial e singular, como busca, ao mesmo tempo, se compreender e se atualizar com termos teóricos-conceituais sobre o que estava se passando com ele. Assim, descobre o conceito e se redescobre com base nele.

O conceito de *performance* de gênero, bastante utilizado neste texto, veio da filósofa Judith Butler (2003, p. 199), a qual considera o gênero um "estilo corporal, um 'ato', por assim dizer, que tanto é intencional como performativo".

João diz: "Eu confundia transexualidade com homossexualidade... Meu processo ficava mesclado um pouco com homossexualidade por conta de minha orientação homossexual. Desde meu histórico sempre gostei de mulheres heterossexuais. Isso também é um marcador, digamos assim. Geralmente lésbicas se interessam por lésbicas, mas não necessariamente também se interessam por heterossexuais".

Aqui ele esclarece que a homossexualidade é diferente da condição trans. Em termos gestálticos, podemos considerar que a condição homossexual não satisfaz os anseios do seu *self*. Fenomenologicamente, compreendemos que a essência do seu desejo não se categoriza num direcionamento para uma identidade homossexual, pois visa a mulheres heterossexuais. A *performance* de gênero na condição de fenômeno não se reduz a uma essência, mas emerge de uma configuração de sentidos dados sobre a identidade de papel de gênero em combinação com a orientação quanto ao par sexual, entre outros sentidos. Como bem diz Merleau-Ponty (2006, p. 10), "o maior ensinamento da redução é a impossibilidade da redução completa".

Muitas categorias distintas devem aqui ser levadas em conta para que se compreenda a complexidade da experiência de João. Desejar mulheres heterossexuais e ser por elas desejado não condizia com sua anterior condição de mulher lésbica, em virtude de o desejo heterossexual de uma mulher estar direcionado aos homens. Por isso, o sexo, o gênero e a orientação sexual são tidos como categorias distintas, mas complementares. João viveu a maior parte da sua vida como uma

Situações clínicas em Gestalt-terapia

mulher lésbica, aceitando a linearidade entre sexo e identidade de gênero, sendo fêmea e mulher. Contudo, ao deparar com novos conceitos, conseguiu perceber na literatura aquilo que encontrou em si mesmo. Descobrir a possibilidade de não ser mulher, ainda que tivesse nascido fêmea, traz para ele um novo horizonte de sentidos e ressignifica suas vivências por meio desse novo entendimento.

Sobre as dificuldades encontradas, ele responde: "Para mim o pior até então são as confusões que as pessoas fazem e o fato de estranharem um pouco... Ainda tem esse estranhamento. Até por parte da família tem um estranhamento grande".

Sabemos, bem ancorados na Teoria do Campo, que o comportamento é função do campo e que, em termos fenomenológicos, consciência e mundo estão numa correlação fundamental e inextricável em que não há separação no campo-organismo-ambiente – e, nesse sentido, toda e qualquer mudança individual repercute nesse campo. Não é somente João que se transexualiza nesse processo, mas de alguma forma as pessoas que convivem com ele são convidadas a elaborar a sua experiência de transição de gênero, o que evidencia quanto essa escolha "individual" se torna coletiva em seus desdobramentos.

As falas que tratam de atribuir o lugar de homem a João são também vividas por uma colega que afirma não ter convivido com Joana, nome fictício de batismo de João, e que em sua experiência ele sempre fora João: assim o conhecera. As questões em relação ao nome – João ou Joana – e aos pronomes de tratamento – *ele* ou *ela* – que se mostram como problemática linguística são postas em discussão ao notarmos a forma como João – como também outras pessoas trans – performa seu gênero partindo de referências masculinas que comportam uma nova indumentária, os movimentos do cor-

Lilian Meyer Frazão e Karina Okajima Fukumitsu (orgs.)

po, as posturas e a imagem que tem de si, ao passo que essa *performance* é confrontada, inevitavelmente, pelo outro; às vezes pela recusa, outrora pelo estranhamento e pelos vícios da linguagem. O gênero no imaginário social é tido como uma categoria estável e imutável, e talvez isso explique a dificuldade dos colegas de atribuir a João um novo pronome: *ele*. No audiovisual produzido, mostramos algumas cenas do filme *Minha vida em cor de rosa* (1997), na qual Ludovic, personagem protagonista, se olha no espelho, maquia o rosto e veste-se com um vestido cor de rosa, aparecendo assim em público. No filme, isso causou comoção, estranhamento e até mesmo a vergonha visível dos pais, que logo tratam de explicar que não passava de uma brincadeira do seu filho, de uma piada: *"Une farse!"*

Nos cortes seguintes o personagem é mostrado passando por situações em que seus colegas de classe riem de sua feminilidade. Diante desses acontecimentos, observamos como outras *performance*s de gênero se tornam motivo de riso entre os sujeitos que impõem a Ludovic um modo de vida com o qual ele não se identifica. Em nosso curta-metragem, há depoimentos de colegas de João que atestam a dificuldade de desnaturalizar as categorias de sexo e gênero impostas a ele. Notamos aqui quanto essas categorias binárias estão socialmente enraizadas, fato que torna difícil assimilar com naturalidade outras identidades de gênero quando estas dizem respeito à transgressão da norma. O sexismo é um essencialismo,

[...] ele visa imputar diferenças sociais historicamente instituídas a uma natureza biológica funcionando como uma essência de onde se deduzem implacavelmente todos os atos da existência. E dentre todas as formas de essencialismo, ele é sem dúvida o mais difícil de se desenraizar. (Bourdieu, 1995, p. 145)

Outra colega expressa: "Quando ele veio falar comigo... E eu quero deixar bem claro que para mim está sendo difícil. [...] Antes de falar 'ele' eu penso 'ela'. Eu acho que por causa da idade, da vivência, da educação que a gente teve e tal, eu acho que pra gente é mais demorado. [...] Até acontecer com João eu nunca tinha pensado nisso. Essa mudança na minha cabeça é um pouco mais lenta. Para eu ver 'ela' como 'ele'".

Percebe-se que a colega faz algumas pausas, refletindo sobre o que vai dizer para não se enganar no jogo da compreensão de gênero. Sua dificuldade de conceber essa nova forma de expressão é por ela justificada como algo enraizado em sua vivência, por ser uma pessoa mais velha e ter tido uma educação que não comportava tal transição.

Sobre as dificuldades que João vinha passando, ele relata: "Minha atual necessidade é de mudar de endereço. Por questões religiosas também, né? Não minhas, mas dos donos da casa. Acredito que eles teriam uma reação um tanto quanto negativa, digamos assim. [...] E aí o embate é o fato de eu não ter uma condição financeira favorável pra morar sozinho, por exemplo. E aí ainda tem as dificuldades pra encontrar um lugar pra compartilhar com outras pessoas, ainda considerando que essas pessoas não podem ser transfóbicas, têm de ter uma tolerância. Eu tô lidando com o desconhecido agora. Querendo ou não a atitude dos outros nos afeta".

É nesse ponto que discutimos os efeitos da transgressão das normas de gênero na vida de João, começando pelo fato de ele ter de mudar de endereço – problema também enfrentado por Ludovic em *Ma vie en rose* quando, em função do convívio com a vizinhança, sua família se vê obrigada a se mudar da casa em que morava. João acredita que sua necessidade de se mudar decorre de uma instância religiosa, pois reconhece que os modos como as subjetividades são construídas tendem a se tornar hegemônicas e são geralmente reforçadas por uma lógica heteronormativa.

João fala da dificuldade de não poder arcar sozinho com as despesas de uma casa, tendo de dividir um espaço com pessoas que não sejam transfóbicas, o que impediria seu bem-estar dentro do próprio lar. Questões como essas evidenciam a dimensão social do seu processo de metamorfose.

Ele continua: "Como eu tô iniciando esse processo, já adquiri a prática de usar algumas roupas masculinas e eu ainda quero comprar mais roupas. Percebi a reação de algumas pessoas e não me fez bem. E diante disso eu pensei que se eu deparar com outras situações parecidas eu não vou ter ainda um aparato psicológico para lidar com isso. Então eu estou na fase de evitação. Tô me poupando de algumas situações. Acredito que é o melhor para mim, até então".

O processo de ajustamento criativo na *performance* de gênero é todo tempo confrontado com o novo. Pois a pessoa precisa responder criativamente todo tempo a um ambiente que não assimila com facilidade outras *performance*s não heteronormativas. João ajusta-se criativamente à situação compreendendo que "até então" é melhor não entrar em confrontos, haja vista que sua situação o coloca em outros conflitos, o que lhe permite avaliar bem que pessoas devem ser encaradas nesse momento do modo menos problemático para ele.

Em outro *setting* que aparece no vídeo, um colega relata: "O que está afetando para mim é a questão do nome mesmo. As demais coisas não está afetando [*sic*], porque se *ela* vai se chamar de *ele* quem sou eu para..." João ri e fala: "O pronome de tratamento também!" Outra colega intervém: "Eu já estou me acostumando, já". Ao passo que o colega anterior retoma: "Eu ainda não me sinto à vontade, ainda, eu, de chamar ela de João". Para uns é mais difícil, para outros nem tanto. Em vista disso, João compreende os acontecimentos que podem lhe ocorrer e, em alguma medida, já pressupõe os incômodos com os quais terá de lidar. Todavia, é sempre pego de surpresa e precisa se ajustar criativamente às novas situações que lhe sucedem.

É fácil perceber que as pessoas que têm uma dificuldade maior de se abrir para novas possibilidades de pensar o outro sem "pré-conceitos" nem "pré-juízos", por identificar seu ego com as formas de gênero que a cultura lhe trouxe como um introjeto, não assimilam com facilidade outras *performances* de gênero. Sabemos que para a Gestalt-terapia o critério de saúde é a identificação com o *self*, sendo a doença a alienação deste por conta da identificação com o ego. Ora, o ego é construído por uma grande parte de introjetos (in = dentro, jetar = lançar). A construção de uma personalidade pode ser considerada um conjunto de introjetos, misturados com outros elementos assimilados (tornado símile) e incorporados (tornado corpo). Uma forma de identificar um introjeto é pela projeção (pro = fora, jetar = lançar). É muito comum que, quando algo não está bem elaborado, a pessoa lance para fora e veja de forma aumentada no outro aquilo que não está bem resolvido para si mesma.

Voltamos a uma cena do filme *Tomboy* (2011), também presente em nosso documentário, em que Mickaël corta com uma tesoura o seu maiô vermelho, transformando-o numa nova peça, uma sunga de banho. Ele a veste na frente do espelho e, se a ausência de um volume na cueca denuncia que ele não é um garoto, improvisa uma espécie de prótese peniana utilizando massinha de modelar. O pênis, que, para muitos, é um órgão que justifica a masculinidade do sujeito (perspectiva reducionista que compreende o homem a partir de um pênis e a mulher, de uma vagina), é produzido na dimensão material e simbólica; nesse caso, não seria mais aquilo que o tornaria diferente dos outros garotos.

A perspectiva de Butler questiona a constituição representacional que produz e orienta as *performances* normativas circunscritas ao entendimento da identidade de gênero em geral. Ou seja, mostra a importância de uma desconstrução da heteronormatividade em seu regime compulsório sobre os corpos ao problematizar o direcionamento biológico entre sexo e gênero. Butler (2003, p. 25) assinala a importância de pensar não somente o gênero, mas também o sexo como práticas discursivas que produzem sujeitos e redundam em construções sociais de gênero, pois, como afirma, "talvez o sexo sempre tenha sido o gênero, de tal forma que a distinção entre sexo e gênero se revela absolutamente nenhuma". Daí o fato de não ser possível falar em apenas uma identidade de gênero, uma vez que elas são performativas e não se restringem, portanto, ao binarismo homem-mulher. O gênero seria, assim, uma prática performativa, construída no corpo e exercida em suas múltiplas facetas pelo sujeito.

No ponto em que João fala sobre quando começou a pesquisar mais acerca do processo de transexualização do corpo, ele diz: "[...] até tentei pelo SUS pra poder encaminhar pros hospitais de BH, de Goiânia, mas aí tem que ter o laudo psiquiátrico atestando o transtorno, aí eu preferi iniciar logo a terapia hormonal por vias particulares". Ao relatar que o laudo psiquiátrico o diagnosticaria com "Transtorno de Identidade de Gênero", podemo-nos questionar: por que é preciso atestar uma doença, um transtorno psiquiátrico, para que uma pessoa possa vivenciar e performar seu corpo da maneira que lhe pareça mais apropriada?

João comenta ter notado apenas algumas diferenças no corpo desde o início do processo de terapia hormonal até o momento da entrevista: "Na verdade, eu iniciei o processo por conta própria [...], mas já estou com acompanhamento. Tem assim... O nascimento de pelos escuros, eu percebi, mas por enquanto só, porque é um processo demorado. Para adquirir o fenótipo masculino demora aí uns dois anos". Em outros momentos, ele fala da possibilidade de fazer mastectomia (retirada dos seios) e demais procedimentos cirúrgicos que podem fazer emergir mudanças mais significativas na superfície do corpo.

O fenômeno da emergência, como conhecemos em Gestalt-terapia, trata de uma figura que se desloca do fundo e vem para o primeiro plano (Perls, Hefferline e Goodman, 1997). Na *performance* de gênero transexual, ocorre um espaço de recriação do corpo. Como no caso de João, em que o corpo feminino dado pela biologia vai aos poucos para o fundo e então emergem caracteres masculinos, como até então o crescimento de pelos escuros.

João vive um momento de contato, aceitando o que lhe é nutritivo e rejeitando o que lhe é tóxico. "O processo de ajustamento criativo a novos materiais e circunstâncias compreende sempre uma fase de agressão e destruição, porque é abordando, apoderando-se de velhas estruturas e alterando-as que o dessemelhante torna-se semelhante" (Perls, Hefferline e Goodman, 1997, p. 47).

João parece compreender muito bem os questionamentos que lhe ocorrem, dado que explica no vídeo que essas ideias estão fundamentadas em noções preconcebidas e binarizadas

CONSIDERAÇÕES FINAIS

É por demais conhecida a famosa frase de Simone de Beauvoir (1976) em *O segundo sexo*: *"On ne naît pas femme, on le devient"* (não se nasce mulher, torna-se). Com ela, a autora chama atenção para o modo de se conceber a mulher não em termos estáveis ou permanentes, e mostra que o processo de "tornar-se" mulher se dá sempre sob uma compulsão cultural a fazê-lo. Essa condição estende as possibilidades de pensarmos tanto a feminilidade como a masculinidade em todas as suas nuanças.

A Gestalt-terapia, com sua ênfase no agora, prefere o "sendo" no lugar do que "é", o dinâmico no lugar do estático. A *performance* trans, da mesma forma que outras *performances* de gênero, não estacionam, mas vibram sempre num processo de vir a ser. Em termos fenomenológicos, o processo de *epoché*, para chegar a uma essência, se dá a cada momento, pois sempre se abre para outras possibilidades. Porém, é comum se estacionar num desejo e construir uma estética existencial a partir dele, quando então performar-se em determinado gênero se configura em congruência pela situação vivenciada pelo *self*.

Em termos fenomenológico-existenciais, isso implica dizer que, "quer se trate do corpo do outro ou do meu próprio corpo, não tenho outro meio de conhecer o corpo humano senão vivê-lo" (Merleau-Ponty, 2006, p. 269). Nesse sentido, há uma multiplicidade de possibilidades e formas de viver o corpo no mundo. Pensando no princípio da pregnância da psicologia da Gestalt, que preconiza uma "tendência ao fechamento", podemos considerar que uma boa forma de uma *performance* de gênero emerge do modo tão bom quanto possível sob as condições do momento.

Para realizá-la a contento, consideramos o ajustamento criativo um movimento em busca de uma *boa forma* no campo-organismo-ambiente, em que o que emerge desse campo é um arranjo essencialmente estético, isto é, performático. A *performance* de gênero, no lugar de ter uma essência que habita no interior do indivíduo, é um fenômeno que emerge desse campo-organismo-ambiente como resposta (dia-logo) a algo suficientemente interessante para ser posto em movimento. E o mais importante de tudo: a realização de uma Gestalt vigorosa é a própria cura (Perls, Hefferline e Goodman, 1997), já que a figura de contato não é apenas uma indicação da integração criativa da experiência, mas a própria integração. Quando o organismo se identifica com uma figura de gênero, esta alcança uma intensidade de tal forma que se consolida numa Gestalt com propriedades "de brilho, limpidez, unidade, fascinação, graça, vigor, desprendimento" (*ibidem*, p. 46).

Ao entrar em contato com as qualidades energéticas da figura, o organismo humano encontra o que procurava. Digamos, a figura carece de um modo tão bom quanto possível de possibilidades de aparecimento que, quando ocorre, o organismo vive a consumação de suas necessidades exatamente no momento de percebê-la assim. Esse movimento tem como consequência a mudança e o crescimento, em que tanto o organismo como o ambiente se modificam nessa nova configuração.

Trabalhar com a *possibilidade* é um lugar muito precioso para a Gestalt-terapia, pois "na possibilidade tudo é igualmente possível, e aquele que, em verdade, foi educado pela possibilidade entendeu aquela que o apavora tão bem quanto aquela que lhe sorri" (Kierkegaard, 2010, p. 164). Em outras palavras, a pessoa faz (performa) o que bem quer de sua vida, pois como sujeito único e singular vive sob o signo de abertura às torrentes de possibilidades.

A possibilidade de conduzir a vida com as próprias mãos singulariza a própria existência com base nos elementos que valoriza como pertinentes à sua vivência de gênero. Isso implica a suspensão fenomenológica do que a história, a cultura e a vida em comunidade normatizam como comum a todos para encontrar à sua maneira a forma mais apropriada de estar no mundo.

REFERÊNCIAS

LIVROS E ARTIGOS

BEAUVOIR, S. *Le deuxième sexe II*. Paris: Gallimard, 1976.

BOURDIEU, P. "A dominação masculina". *Educação & Realidade*, v. 20, n. 2, jul.--dez.1995.

BUTLER, J. *Problemas de gênero: feminismo e subversão da identidade*. Rio de Janeiro: Civilização Brasileira, 2003.

KIERKEGAARD, S. A. *O conceito de angústia*. Petrópolis: Vozes; São Paulo: Ed. Universidade São Francisco, 2010.

MERLEAU-PONTY, M. *Fenomenologia da percepção*. 3. ed. São Paulo: Martins Fontes, 2006.

PERLS, F.; HEFFERLINE, R.; GOODMAN, P. *Gestalt-terapia*. São Paulo: Summus, 1997.

FILMES

Minha vida em cor de rosa. Dirigido por Alain Berliner. Reino Unido/Bélgica/França, 1997.

Performance de gênero. Documentário sobre um processo de transexualização. Projeto de pesquisa "Corpo e imaginário: interdições, *performance*s e produção de audiovisuais". Plano de trabalho: estudos sobre a *performance* de gênero. UFBA/IMS-CAT/Pibic/Fapesb. Lucas Caires Santos/Sérgio Lizias Rocha. Disponível em: <https://www.youtube.com/watch?v=ulGvY0oyh6w&t=531s> >. Acesso em: 10 out. 2018.

Tomboy. Dirigido por Céline Sciamma. França, 2011.

6
Rosa: da ansiedade pela perda do outro à *awareness* sobre a perda de si

LUCIANE PATRÍCIA YANO

ALYSSON DE OLIVEIRA MENDES

Neste trabalho apresentamos o caso clínico de uma pessoa a quem atribuímos o nome fictício de Rosa, que foi atendida por um dos autores e apresentou, como queixa principal, sinais e sintomas de alta ansiedade e fobias. Foram realizadas 18 sessões de psicoterapia individual em um intervalo de seis meses, sendo os primeiros encontros semanais e, posteriormente, quinzenais.

A HISTÓRIA DE ROSA

Rosa tinha 67 anos de idade quando buscou psicoterapia. Contou que procurou atendimento psicológico porque sentia um intenso medo de morrer, tremores, taquicardia e chorava copiosamente. Rosa atribuía seu sofrimento ao enlutamento pelo esposo, que falecera havia cerca de um ano. Tendo sido casada a maior parte de sua vida, Rosa se tornara dependente do esposo em muitos aspectos e, em seu relato, apresentou o marido como um homem de caráter egoísta e que dificilmente a validava. Além disso, mostrou-se uma mãe extremamente dedicada aos filhos. Contudo, naquele momento Rosa só conseguia sair de casa quando acompanhada por um deles e isso a impedia de atender a muitas de suas necessidades. Rosa também expressou o incômodo pelo medo de usar o banheiro com a porta trancada, sair na rua em razão do trânsito movimentado, fazer um tratamento odontológico que era imprescindível, viajar de avião e tempestades. Ela demonstrou, por meio de sua fala e postura, ser uma pessoa muito ansiosa, tímida e insegura.

Após a perda do marido, Rosa percebeu a necessidade de resgatar sua autonomia. Declarou que havia dedicado muito tempo aos cuidados da família e que agora desejava atender aos próprios anseios, como o de poder viajar para lugares que gostaria de conhecer; contudo, sentia-se apavorada diante dessa possibilidade. Sua autoestima e autoconfiança estavam rebaixadas. Conservava pensamentos negativos que evidenciavam as introjeções disfuncionais e a distorção na função personalidade. Dizia-se uma pessoa burra, que tinha pouco conhecimento em razão de ter se casado muito nova e por isso não ter estudado formalmente. Em sua fala, estavam presentes os sentimentos de culpa e vergonha pela dependência do esposo e dos filhos.

Havia, ainda, uma preocupação excessiva acerca da opinião de outras pessoas, o que levava Rosa a um padrão de passividade no contato com o ambiente. Ela afirmou sentir grande dificuldade de negar um pedido e, ao mesmo tempo, evitava fazê-los por medo de atrapalhar ou dar trabalho para os outros. Segundo ela, em sua vida "havia aprendido a dizer sim, mas não a ser feliz".

Considerando o padrão de dependência que Rosa manifestou, zelou-se para que a relação terapêutica não se configurasse como uma nova forma de agressão, na qual o terapeuta pudesse vê-la como alguém frágil e submissa. Era preciso olhar para Rosa com a potência que dela emergia. Rosa se mostrou disponível e confiante no processo terapêutico. Incomodada e consciente de seu sofrimento, ela estava motivada a fazer algo por si.

A seguir, descreveremos o desdobramento psicoterápico do processo de Rosa. A fim de facilitar a compreensão do leitor, dividimos essa apresentação em cinco etapas, baseadas nos trabalhos de Francesetti, Gecele e Roubal (2013), Joyce e Sills (2014) e Yano (2015). Essas etapas foram assim denominadas: vinculação; identificação dos riscos e encaminhamentos; desenvolvimento do autossuporte e redução das crises; identificação das interrupções de contato predominantes; ressignificação dos sintomas e finalização coparticipativa do processo psicoterapêutico.

Salientamos que a divisão em etapas constituiu uma configuração artificial para apresentar os elementos psicoterápicos. Embora separadas, as etapas não seguem necessariamente uma ordem e podem ocorrer de modo concomitante. Reconhecemos que nenhuma estruturação é perfeitamente coerente com as necessidades de cada cliente e entendemos que a configuração apresentada na compreensão clínica desse atendimento segue os pressupostos filosóficos e epistemológicos da Gestalt-terapia.

COMPREENSÃO GESTÁLTICA SOBRE O PROCESSO DE PSICOTERAPIA DE ROSA

Vinculação

Em conformidade com a visão holística da Gestalt-terapia, os comportamentos ansiosos que Rosa manifestou não foram compreendidos de maneira isolada. Entendemos que a alta ansiedade apresentada por ela expressava um modo cristalizado de ser, interrompendo sua capacidade de autorregulação. Dessa forma, em vez do diagnóstico de transtorno de ansiedade, compreendemos que Rosa apresentou um ajustamento ansiogênico, por considerar que esse foi o modo que a cliente encontrou para lidar com as perdas que experienciava. Sem desconsiderar os sinais e sintomas apresentados, foi priorizada uma postura acolhedora, que reconhecia a pessoa de Rosa para além de um quadro diagnóstico. Consideramos que a ansiedade que Rosa relatou não visava ser curada ou eliminada. Nesse sentido, a terapia foi orientada para estimulação do aprendizado de maneiras novas, criativas e funcionais de lidar com a ansiedade experienciada.

Em uma relação dialógica, terapeuta e cliente caminharam juntos em busca de saber por quê, como e para que aconteciam os fatos relatados no processo terapêutico. Acolheram-se os sentimentos e as reações corporais de Rosa. A serviço da cliente, o interesse direcionou-se para o que emergia na inter-relação entre terapeuta e Rosa.

Ao longo do processo, Rosa se descreveu como: medrosa, indecisa, insegura, saudosista, tímida e preocupada. Cada uma das características descritas por ela foi desdobrada, a fim de nos aproximarmos do sentido e do impacto de sua maneira de se perceber.

Identificação dos riscos e encaminhamentos

Uma avaliação do estado de saúde da cliente foi fundamental naquele momento. Sintomas que oferecem perigo à integridade física requerem intervenção médica. É possível que os sintomas ansiosos sejam provocados, mantidos ou intensificados por outras doenças, estresse, deficiência de vitaminas e minerais, má alimentação, problemas respiratórios e prejuízos na qualidade e quantidade de sono. Em relação à integridade física e queixas orgânicas, há pouco tempo Rosa fizera um checape médico que indicou bom estado de saúde, embora ela sentisse dores nas articulações e cefaleia tensional. Para esses males, Rosa fazia tratamento médico.

No caso dela, o estresse provocado pelo luto foi um fator precipitante para o estado de ansiedade. Nas primeiras sessões, discutiu-se a possibilidade de que Rosa também recebesse acompanhamento psiquiátrico, mas ela decidiu seguir com psicoterapia exclusivamente.

Considera-se que a ansiedade experimentada por Rosa contribuíra para desestabilizar seu humor. De acordo com Bilbao (2010), ao menos 75% das pessoas que apresentam ajustamentos depressivos também manifestam sintomas característicos da ansiedade; inversamente, a ansiedade também pode provocar algum tipo de depressão.

Desenvolvimento do autossuporte e redução das crises

Com o intuito de ampliar a *awareness*, bem como de fortalecer o autossuporte, oportunizou-se, em algumas sessões, determinados recursos, tais como: lista de assuntos em relação aos quais tem curiosidade; necessidades que apresenta; o que a experiência de viuvez oportunizou; sonhos de vida; e *awareness* corporal.

Os sentimentos de insegurança, indecisão e timidez expressos por Rosa parecem estar diretamente relacionados com a carência de autossuporte. Sobre esse aspecto, Robine (2013) evoca a perspectiva de Laura Perls e afirma que a incapacidade de lidar com mudanças, ou o medo de dar o próximo passo, resulta da sensação de suporte insuficiente. Compreendemos que enquanto fora casada, isto é, por quase 50 anos, o esposo foi o heterossuporte de Rosa e o casamento oferecia-lhe a garantia de uma companhia. Após o falecimento dele, Rosa viu-se solitária e impotente.

Segundo Rosa, ela vivera com o esposo "uma relação de submissão, na qual não tinha autonomia". Havia introjeções do tipo machista, de que o papel do homem é liderar a família, e do tipo marianista (Stevens, 1973; Nuñez et al., 2015), nas quais a mulher deve sempre cuidar do esposo e dos filhos com bondade, humildade e sacrifício. Parceiros machistas, egoístas, não empáticos e que apresentam um padrão comportamental de humilhar e manipular incutem a ideia de que sem eles a outra parte não tem valor. Como afirma Greenberg (2005), esse tipo de relação se constitui na díade narcisista-dependente, na qual o dependente é predisposto a desenvolver hipersensibilidade a críticas, ansiedade e depressão.

Rosa relatou a necessidade de autonomia, mas sem um heterossuporte sentia-se desprotegida e impotente para realizar tarefas como ir ao banco sozinha. Segundo Robine (2013), na ansiedade o passado não oferece suporte e o futuro é incerto. A crise de ansiedade também é concebida como uma fratura na experiência do contato ou desrealização. Nessa situação, a pessoa percebe o mundo como uma experiência aterrorizante e parece sentir-se desprotegida diante da desintegração do fundo.

Em conformidade com os ensinamentos de Kepner (2000), Rosa foi convidada a perceber como a ansiedade era experienciada em seu corpo. Mais tarde, foi-lhe pedido que identificasse a relação do corpo com suas experiências de vida. Rosa costumava apresentar ombros caídos, braços frouxos sobre as pernas e mãos apoiadas uma na outra. A *awareness* corporal é um aspecto importante para a abordagem gestáltica. Segundo Hosseini (2016), os Gestalt-terapeutas consideram a repressão um fenômeno essencialmente muscular; assim, o trabalho de consciência corporal assume importância fundamental. Para Kepner (2000), o corpo é o lugar de expressão dos medos que se originam nos pensamentos. Nesse sentido, se o corpo constitui um espaço de possibilidades, é nele também que se deposita o resultado não escoado da excitação da alta ansiedade. Por isso, Rosa foi convidada a pensar em formas de usar o corpo como via de escoamento de ansiedade e, dessa forma, encontrou na atividade física uma possibilidade de aliviar o desconforto pela excitação acumulada.

Perls (2002) ensina que a crise de ansiedade é resultado de um suprimento inadequado de oxigênio diante da excitação contida. Durante uma crise, enquanto o organismo demanda oxigênio, os músculos do tórax (couraça peitoral) se enrijecem e estreitam-se irrefletidamente. Dessa forma, o que acontece é um conflito intenso entre o impulso de respirar e o autocontrole oposto. Para que Rosa retomasse o contato com sua respiração, primeiramente foi sugerido que ela se tornasse *aware* do corpo, identificando se havia alguma tensão muscular. Em seguida, foi-lhe pedido que expirasse todo o ar que conseguisse, para que, somente depois, inspirasse o ar de que necessitava, considerando o fato de que o ar retido nos pulmões contém mais dióxido de carbono que o normal e isso afeta o organismo.

Indivíduos em situação de crise tendem a apresentar *awareness* reduzida para satisfazer suas necessidades, revelando dificuldade de perceber o que fizeram antes para lidar com as crises outrora superadas. Partindo das sensações agradáveis proporcionadas por caminhar descalça pela grama, ouvir música, dançar e se matricular em um curso de artes visuais, Rosa parece ter resgatado recursos que proporcionaram contato com mais qualidade e ampliação de *awareness*.

Depois que se reconheceu como fonte própria de prazer, conseguiu estar com o outro de forma genuína, sem tantos melindres, ressignificando as introjeções de que deveria ser submissa. Fortaleceu, portanto, o autossuporte quando se reconheceu e se acolheu em sua condição existencial.

Rosa foi orientada a entrar em contato com as fobias de viajar de avião e de fazer procedimentos odontológicos por meio de um experimento de fantasia dirigida, semelhante ao proposto por Oaklander (1980) na obra *Descobrindo crianças*. Perls (2002, p. 257) cita a aproximação gradual de um elemento estressor até que a situação fosse sustentável como possível intervenção para as fobias. Assim, de modo progressivo e controlado, Rosa entrou em contato com seus anseios e pôde dar-se conta de que ela havia desenvolvido novas habilidades e se sentia mais preparada para essa situação.

Em outra atividade de experimentação, Rosa deu-se conta dos sonhos e curiosidades que suspendera a fim de assumir as responsabilidades como mãe e esposa ao longo de muitos anos. A *awareness* dessas interrupções a mobilizou a resgatar situações para fortalecer seu autossuporte.

Identificação das interrupções de contato predominantes

Tomando por base a teoria do ciclo do contato, no que se refere aos seus bloqueios, considera-se que indivíduos com alta ansiedade apresentam interrupções em um ou mais dos processos. Isso significa que o contato é interrompido antes da experiência de satisfação, o que impossibilita a assimilação e a retirada. Em consequência, acumulam-se situações inacabadas que podem ser captadas em percepções de vazio e insatisfação. Essas sensações resultam da não vivência plena no aqui e agora característico da ansiedade existencial. Esse ciclo interrompido propaga-se na busca incessante de estar sempre fazendo algo para suprir vazios e insatisfações. A seguir, descreveremos como a ansiedade vivenciada por Rosa pode ser compreendida com base na teoria do ciclo do contato. Concomitantemente, apresentaremos alguns dos experimentos que se tornaram facilitadores para o enriquecimento do contato entre Rosa e outras pessoas.

Ribeiro (2007) define a fixação como um processo em que a pessoa, por temer mudanças da sua realidade, se apega excessivamente a outras pessoas, ideias ou coisas. É possível compreender que o luto de Rosa, durante algum tempo, se configurou como uma fixação na experiência passada, isto é, como forma obsoleta de existir. Ao integrar as experiências, as sensações, o corpo, as atitudes e os pensamentos no aqui e agora, Rosa foi convidada a se atualizar de acordo com suas necessidades presentes.

No estilo deflexivo, o contato é vago e a energia é desviada do estímulo que a produz. As experiências defletidas mantêm-se no nível fisiológico e *unaware*. É comum que a pessoa ansiosa desperdice energia com outras atividades que não aquela que provoca a ansiedade e, por sentir medo, desvie o atendimento de sua necessidade (Bilbao, 2010). Quanto à deflexão, Rosa costumava rir ao relatar a experiência de medo, insegurança e vergonha, o que parecia incongruente com o conteúdo verbal. A experiência corporal apresentou uma evitação do contato visual que parecia caracterizar a repressão da vergonha. Nas primeiras sessões, Rosa manteve o olhar vago e abatido e foi convidada a contatar o que estava evitando sentir.

Na introjeção, a pessoa negligencia a sua necessidade e aceita, de modo indiscriminado, o desejo e/ou a opinião arbitrários. Como ilustra Ribeiro (2007), a introjeção é um modo de contato no qual outro ocupa o lugar do eu. Como introjeções, Rosa apresentou em seu discurso crenças como: "Não devo usar saia", "Não sou inteligente" e "Mulher direita não usa maquiagem". Ela foi convidada a investigar a origem e validade de suas falas e, caso encontrasse alguma incongruência, que refizesse sua fala autenticamente.

Acerca da projeção, Robine (2013) aponta que nessa fase do contato o organismo não reconhece os próprios afetos, emoções e sentimentos e os atribui a outra pessoa. Assim, o indivíduo com alta ansiedade tem dificuldade de reconhecer suas responsabilidades e rotula o ambiente, e não a si mesmo, de ansiogênico. Sobre as projeções, Rosa acreditava que os outros a julgariam por sua insegurança e fraqueza. Nesse aspecto, ela foi estimulada a assumir a responsabilidade por suas representações.

Em Gestalt-terapia, retrofletir é um voltar-se contra si mesmo. Na ansiedade, a energia autodirigida favorece a manifestação de doenças e compromete a organização corporal. No que se refere à retroflexão, Rosa queixou-se de cefaleia e mantinha uma postura curvada e introspectiva que descreveu como autoproteção. No *setting* terapêutico, Rosa apresentou suspiros, toque nas mãos, lábios crispados e respiração profunda; no corpo, a tensão muscular assumiu o caráter de retroflexão, a que ela se referia como "peso nos ombros". Rosa foi convidada a experimentar o contato com o corpo (*awareness* corporal) durante todo o processo terapêutico.

No egotismo há uma perspectiva individualista, na qual o automonitoramento e a autorreferência excessiva provocam amplificação das experiências vividas. Quanto ao egotismo, Rosa apresentou distorções cognitivas de autorreferência e automonitoramento, como se suas ações fossem vistas por todas as pessoas de maneira amplificada. Para a abordagem gestáltica, o egotismo indica um autocontrole excessivo em detrimento da espontaneidade, manifestando-se na avaliação, no julgamento e nos comentários sobre o mundo externo, concomitantemente com uma vivência pessoal apática (Latner, 1986). De caráter narcísico e ensimesmado, no egotismo a própria realidade é tomada como referência, evitando-se o contato com o próprio mundo afetivo. A comunicação egótica pode apresentar características agressivas – como no caso de Rosa, que, embora mostrasse um padrão de comunicação passivo, apresentava também humor irritável. Para Joyce e Sills (2014), o termo egotismo é chamado de automonitoramento, pois os autores entendem que o primeiro sugere uma ideia estática em um processo que é dinâmico. Esse estilo de contato estimula a autorreferenciação tanto nos aspectos positivos quanto nos negativos das experiências, da exaltação à culpabilização de si. Rosa se culpava por acreditar que "dava trabalho aos outros" e foi convidada a questionar a si mesma como o centro das atenções. Para isso, foram feitas perguntas que tematizavam a espontaneidade de Rosa, como: "O que acontece quando você deixa as coisas acontecerem?" A *awareness* sobre a espontaneidade como funcionamento possível parece ter ampliado as possibilidades de Rosa.

A confluência é um estado de indiferenciação entre organismo e ambiente. Segundo Robine (2013), a formação de uma figura é sempre uma ruptura da confluência, e interferir nesse processo de diferenciação figura/fundo provoca ansiedade. Para o autor, a emergência de uma necessidade é primeiramente identificada como sensação física e, depois, transformada em sentimento ou emoção. Quando a energia que mobiliza a necessidade é reprimida, o processo é interrompido e permanece exclusivamente como um sintoma corporal. Nota-se que Rosa muitas vezes interrompia a satisfação de suas necessidades para atender aos outros. Sua recusa em negar pedidos também parecia ser uma forma de evitar conflitos com o ambiente. A diferenciação foi estimulada por meio da experiência de satisfação contínua, das necessidades consideradas básicas às mais complexas, bem como de experimentar o não como resposta possível.

Outro elemento interruptivo relevante refere-se ao papel da vergonha na vivência de ansiedade. A vergonha é a consequência direta da exposição de si perante o outro. Diferentemente da culpa, que pressupõe a transgressão de uma norma por determinado ato, a vergonha diz respeito a características da identidade: enquanto a culpa resulta de uma atitude específica, a vergonha remete ao próprio modo de ser (Robine, 2006). Por exemplo, na culpa o conteúdo do pensamento é "eu fiz algo errado", ao passo que na vergonha é "eu sou errado". Em seus

Situações clínicas em Gestalt-terapia

relatos, Rosa também expressou a decepção consigo mesma pela dependência externa; vinha às primeiras sessões psicoterápicas acompanhada de um dos filhos e relatava sentir-se envergonhada pela dependência do outro, tanto para sair à rua como para ficar em casa quando chovia forte, em razão de sua fobia. Yontef (1998) afirma que a vergonha geralmente é experienciada de forma rudimentar, confusa, com o propósito de evitar uma exposição a si mesmo e aos outros. Por isso, o terapeuta deve estar atento a esse sentimento. Ainda segundo Yontef (1998), pessoas inclinadas à vergonha acumulam críticas severas a si mesmas. Sentem-se inferiores ou indignas da aceitação de outra pessoa – por isso estão propensas ao isolamento. Nesse ponto, Rosa apresentou-se crítica em relação à autoimagem à autoconfiança.

Na relação com os estilos de contato, a vergonha pode ser comunicada por via das introjeções, como crenças negativas acerca de si mesmo que foram desenvolvidas por meio do contato com outras pessoas, sobretudo com os pais. Um exemplo é a expressão "você deveria se envergonhar disso". No corpo, a vergonha pode ser expressa por risadas e rubor – sinais frequentemente percebidos no contato com Rosa.

Pessoas com alta ansiedade tendem a inquietar-se, a sentir vazios e insatisfações que respondem às introjeções de não ser bom ou inteligente o bastante (Brown, 2012). Em relação a insatisfações e insuficiências, Rosa relatou baixa autoconfiança e insatisfação e parecia ter dificuldade de dar-se conta dos aspectos preservados que tinha no aqui e agora. Ela apresentou uma visão negativa acerca de suas competências intelectuais e resgatou predominantemente os aspectos fragilizados como parte significativa de seu campo experiencial.

Ressignificação dos sintomas e finalização do processo terapêutico

A seguir, apresentaremos algumas ações de Rosa que indicam fortalecimento de autossuporte e um modo mais funcional de viver. Ao fim do processo, ela apresentou uma redução significativa de ansiedade, equilibrou seu estado de humor e desenvolveu mais autonomia para realizar tarefas. Também se mostrou mais aberta a novas experiências – matriculou-se em um curso de artes visuais e passou a usar batom e saia como forma de autocuidado e superação de introjeções. Além disso, aprendeu a ressignificar os pensamentos catastróficos e a respirar adequadamente.

Rosa conseguiu sair de casa e ampliou suas relações sociais, indo ao teatro com a família e a uma festa de aniversário com amigos. No que se refere à fluidez dos processos de confluência/retirada, Rosa foi capaz de negar um pedido feito por um familiar.

Sobre os sintomas e fobias apresentados no início do processo terapêutico, Rosa conseguiu ficar no banheiro com a porta trancada, iniciou o tratamento odontológico, foi à psicoterapia e ao banco desacompanhada e fez uma viagem de avião. Demonstrando satisfação e gratidão, escreveu a seguinte mensagem: "A viagem foi boa. Eu senti medo e consegui controlar. A cidade é muito bonita". A paciente foi capaz de discriminar o que era prioritário e, momento a momento do processo de psicoterapia, se tornou *aware* de suas necessidades e assumiu responsabilidade pela satisfação. Afirmou: "Hoje sou uma pessoa mais consciente de minhas necessidades e quero ser dona dos meus pensamentos, lutar contra os meus medos e pensamentos de inferioridade e me libertar".

Rosa desenvolveu autossuporte e focou no atendimento às suas necessidades. Tomou consciência de sua capacidade de se satisfazer sem o heterossuporte. Desenvolveu autonomia, autoconfiança e expressou maior qualidade de presença nas experiências de vida. Mobilizou-se para uma inter-relação saudável, autorreguladora e autoatualizadora.

Na sessão de encerramento do processo terapêutico, quando questionada sobre seus aprendizados, Rosa resgatou a lembrança de sua relação conjugal como predisponente do funcionamento inseguro e ansioso e relatou:

— Quando cheguei aqui você me perguntou como poderia me ajudar. Eu falei que eu estava de luto porque meu marido tinha morrido, mas aprendi uma coisa: eu não estava de luto pelo meu marido; eu estava de luto por mim mesma. Fui eu quem morreu há quase 50 anos e agora estou nascendo de novo.

Com a morte do marido, o fundo de Rosa se desintegrou e as experiências de alta ansiedade emergiram como figura. Não foi a pessoa de Rosa, mas a maneira como ela vivia suas experiências que se configurou com alta ansiedade. Enfim, Rosa acolheu o que o presente possibilitava, escutou suas necessidades e responsabilizou-se por si. Assim, criou um campo acolhedor, com maior senso de confiança e de satisfação. Continuou ansiosa, mas essa ansiedade mudou de forma: de um aspecto incontrolável e ameaçador, passou a ser experienciada como a possibilidade para a criação de novas formas de ser. Rosa apresentou uma capacidade de aprendizado significativa, ampliando sua disponibilidade para uma nova maneira de viver. Ao se ver sozinha, pôde se reconstruir. Como ela havia pedido, aprender a dizer sim e não, e a ser feliz.

REFERÊNCIAS

BILBAO, A. *Gestalt para la ansiedad*. México: Alfaomega, 2010.

BROWN, B. *A coragem de ser imperfeito: como aceitar a própria vulnerabilidade, vencer a vergonha e ousar ser quem você é*. Rio de Janeiro: Sextante, 2012.

FRANCESETTI, G.; GECELE, M.; ROUBAL, J. (orgs.). *Gestalt-therapy in clinical practice: from psychopathology to the aesthetics of contact*. Siracusa: Istituto di Gestalt HCC Italy, 2013.

GREENBERG, E. "The narcissistic tightrope walk: using Gestalt therapy field theory to stabilize the narcissist client". *Gestalt Review*, v. 9, n. 1, 2005, p. 58-68.

HOSSEINI, N. *Speak from your heart: six steps to engage, inspire and impact your audience*. Nova York: Powerful Presence, 2016.

JOYCE, P.; SILLS, C. *Skills in Gestalt: counselling & psychotherapy*. 3. ed. Califórnia: Sage, 2014.

KEPNER, J. I. *Proceso corporal: un enfoque gestalt para el trabajo corporal em psicoterapia*. Madri: Manual Moderno, 2000.

LATNER, J. *The Gestalt therapy book*. Gouldsboro: Gestalt Journal Press, 1986.

NUÑEZ, A. *et al*. "Machismo, marianismo, and negative cognitive-emotional factors: findings from the hispanic community health study/study of latinos sociocultural ancillary study". *Journal of Latina/o Psychology*, ago. 2015.

OAKLANDER, V. *Descobrindo crianças: a abordagem gestáltica com crianças e adolescentes*. 17. ed. São Paulo: Summus, 1980.

PERLS, F. S. *Ego, fome e agressão: uma revisão da teoria e do método de Freud*. 3. ed. São Paulo: Summus, 2002.

RIBEIRO, J. P. *O ciclo do contato: temas básicos na abordagem gestáltica*. São Paulo: Summus, 2007.

ROBINE, J.-M. *O self desdobrado: perspectiva de campo em Gestalt-terapia*. São Paulo: Summus, 2006.

_____. "Anxiety within the situation: disturbances of Gestalt construction". In: FRANCESETTI, G.; GECELE, M.; ROUBAL, J. (orgs.). *Gestalt therapy in clinical practice: from psychopathology to the aesthetics of contact*. Siracusa: Istituto di Gestalt HCC Italy, 2013.

STEVENS, E. P. "Machismo and marianismo". *Society*, v. 10, n. 6, 1973, p. 57-63.

YANO, L. P. "A clínica em Gestalt-terapia: a gestalt dos atendimentos nos transtornos depressivos". *Revista Nufen*, v. 7, n. 1, 2015.

YONTEF, G. *Processo, diálogo e awareness: ensaios em Gestalt-terapia*. São Paulo: Summus, 1998.

7
A delicada ponte *entre mundos*: ansiedade, sofrimento e a experiência livre de tornar-se adulto na contemporaneidade

LAURA CRISTINA DE TOLEDO QUADROS

"O diabo põe a mão em todo empreendimento humano [...]
e particularmente [...] no ensino e prática da psicoterapia,
empenhadíssimo em fornecer não apenas palavras, mas [...]
todo um caleidoscópio de truques para quem é pobre,
ignorante e suficientemente crédulo e disposto a pagar."

(Perls, L., 1977, p. 1)

A instigante citação de Laura Perls traz uma questão importante para nossa prática em Gestalt-terapia: há de ter cuidado com os atalhos, os truques que nos prometem a rapidez, a cura e a mudança como ponto-final de uma psicoterapia. É necessário aceitar que há um caminho a ser percorrido e que tal caminho não segue um roteiro predefinido por nós, tampouco um ritmo acelerado pelas exigências impostas em função de aparentes urgências do contexto. Muitas vezes acompanhamos nossos clientes na transposição *entre mundos*, onde a ponte que os une (ou reúne) nem sempre é firme e segura de atravessar. Há de se ter cautela, paciência e sensibilidade para compor o passo da travessia, na convocação de um fazer genuinamente gestáltico em que terapeuta e cliente tecem juntos um deslocamento criativo, potente, marcado pelo possível e pelas possibilidades. É com esse olhar que convido você, leitor (talvez um estudante interessado, um terapeuta iniciante, um colega mais calejado ou até mesmo um leigo curioso), a acompanhar a história de Miguel – assim o chamaremos neste relato –, um rapaz que aos 20 anos se sentiu paralisado diante da ponte que o levaria da vida juvenil para os desafios da vida adulta.

Miguel chega ao consultório trazido pela mãe. Ambos estão envoltos numa aura aflita, tensa e ligeiramente constrangida: ela por achar ter esgotado seus recursos de acolhimento e afeto para tirar o filho do sofrimento; ele por estar sofrendo diante do estranhamento de seus sentimentos e do novo que lhe invadia de modo quase imperativo. Em síntese, eles acreditavam que não estavam conseguindo lidar com uma questão aparentemente simples, o que levantava suspeitas de que o simples não era tão simples assim. Com voz suave e ligeiramente emocionada, a mãe apresentou o sofrimento do filho: Miguel, outrora ótimo aluno de uma conceituada escola no Rio de Janeiro e naquele momento ocupando uma cobiçada vaga em uma universidade pública também no Rio, não estava fixando o que estudava, não conseguia efetivar a leitura dos muitos textos que seu curso lhe exigia. Miguel escutava calado, um tanto encolhido no canto do sofá, olhar e voz baixos num misto de dor e acanhamento, respiração curta e visível desconforto. Isso emergiu como *figura* para mim. Porém, havia em seu olhar certa receptividade, talvez um lampejo de esperança de ali, no espaço terapêutico, dissolver esse inédito impedimento para leitura, o que também compôs a Gestalt.

Os modos de chegada de um cliente constituem ponto relevante para o terapeuta, ou seja, aquilo que se destaca diante de nós pode nos ajudar a ampliar o campo de observação e cuidado. Apoiados no princípio de figura e fundo oriundo da psicologia da Gestalt, ressaltamos a importância de lidar com o que nos chama a atenção, pois, como alertam Perls, Hefferline e Goodman (1997, p. 36), "o problema é que o paciente (e com demasiada frequência o próprio terapeuta) passa por cima dessa superfície. A maneira como o paciente fala, respira, movimenta-se, censura, despreza, busca motivos, para ele é obvia, é sua constituição, é sua natureza". Assim, esses aspectos que são tão naturalizados no cotidiano dos que buscam a psicoterapia podem contribuir para configurar nossa percepção de modo singular. Portanto, as considerações acerca desse trabalho se deram por aquilo que foi se tornando figura para mim. Ressalto, no entanto, que esse é um processo dinâmico e fluido, no qual não devemos nos apegar a essa figura inicial como verdade absoluta, como uma determinação do outro. Além disso, o que por vezes é figura para o terapeuta – a forma, o como – é o contorno de fundo do que o cliente nos traz, enquanto a figura do cliente – o conteúdo, o porquê – constitui o fundo para o terapeuta. Nada é adivinhação, mas uma experiência que acontece no campo fenomenológico da relação terapêutica que começa ali a se instalar. Ginger e Ginger (1995, p. 148), inspirados em Robine, apontam que essa dinâmica figura e fundo se dá de modo diferente para terapeuta e cliente:

Por isso, o trabalho psicoterapêutico não objetivará apenas atualizar as lembranças enterradas (o *porquê*), mas também observar as circunstâncias e as distorções *da relação presente* (o *como*). Enquanto o cliente, no mais das vezes, está focalizado no *conteúdo* de seu discurso ou de sua ação, o Gestalt-terapeuta se interessa mais pela *forma*, pelo *processo* em curso: notamos então entre eles uma *inversão da figura e do fundo*.

Isso nos exige ao menos duas habilidades: a) refinar a percepção do que está presente nesse campo – daí a importância de atentarmos para o modo de chegar desse cliente, de postura corporal, passando pela voz e pelo olhar, a pequenos detalhes, como uso das palavras, omissões e emoções contidas; b) escapar das armadilhas que a queixa do cliente pode nos impor. E por isso evocamos o alerta de Laura Perls, que compõe a epígrafe deste capítulo e versa sobre os perigos e tentações da busca de atalhos para encurtar caminhos. No caso aqui descrito, nossa jornada estava no primeiro passo: o contorno da figura e fundo de nosso encontro.

Voltando à sala com Miguel e sua mãe, o que eles me pedem e me perguntam (a figura deles) é: "Nos ajude a fazer tudo voltar ao normal" e "O que é isso? Por que isso está acontecendo se estudar nunca foi problema?". Miguel tinha uma família acolhedora, uma relação afetuosa com os pais e a irmã; não havia pressão por resultados. Tinha bons recursos, estava no curso e na universidade que escolhera e gostava de estar lá, queria estar lá, tinha interesse nas aulas e nos textos. Por isso tanta estranheza com a dificuldade de absorver o conhecimento. Perguntei-lhe o que acontecia no momento da leitura, o que o impedia de ler, como ele se sentia. De modo

Situações clínicas em Gestalt-terapia

pausado e intrigado, ele respondeu: "Começo a ler o texto e, no avançar da leitura, acho que estou perdendo a conexão com o começo do texto e volto ao início. Aí continuo lendo, tenho a mesma sensação e volto novamente ao início. Isso se repete e não consigo ir adiante". Silêncio e tensão nos envolvem. Miguel continua: "Em véspera de prova, tento várias vezes, avanço a madrugada, percebo que não vou conseguir e concluo que não tenho condições de fazer a prova. Esse semestre não consegui fazer nenhuma". Miguel e a mãe se emocionam e o campo é tomado por certo temor e desalento que preenchem o ambiente. Senti-me, então, convocada à delicadeza no intervir, pois percebi estar diante de algo que ainda precisava de um tempo para se desvelar.

Iniciamos, então, nossa jornada. Miguel era assíduo e pontual, porém bastante econômico em suas colocações. Tanto eu quanto ele passamos um tempo explorando nossas possibilidades de contato. A questão que o levou à psicoterapia era a que ele menos gostava de abordar. Logo ele me mostrou isso e, numa aposta de risco, mas com a cumplicidade dele, fui ampliando o campo de nossos encontros, interessando-me pelas outras coisas que ele fazia. Muito culto e inteligente, Miguel gostava de música – era exímio violonista e admirador de Rafael Rabelo –, cinema, literatura e poesia (mas, como sabemos, não estava conseguindo ler, o que o entristecia). Encontramos nesses temas nossa interseção, nossa possibilidade dialógica no sentido proposto por Hycner e Jacobs (1997), em que inclusão, acolhimento e interesse genuíno constroem um suporte para o acontecimento em psicoterapia. Miguel foi ficando mais à vontade, menos constrangido e passou a ocupar mais o *setting*. Mas essa história não é linear e algumas surpresas e desafios nos atravessaram.

À medida que o semestre letivo avançava, a agonia de Miguel aumentava: agora, além de não conseguir ler, tinha rituais para estar em sala de aula, o que complicava sua condição de aprendizado. Ele tinha expectativas de acompanhar seus amigos e referências do que é ser bem-sucedido no mundo contemporâneo. Queria fazer o que lhe impedia desaparecer, queria "ser igual aos outros", "que tudo voltasse a ser como antes". Miguel desejava controlar sua forma, enquadrá-la, e não articulava seus interesses artísticos à sua vida acadêmica. Era como se estivesse em dois mundos cindidos: num deles ele podia ser mais fluido, dar vazão à sua sensibilidade; no outro vinha o peso de ter de cumprir uma lógica exclusivamente cartesiana. E era nesse outro mundo que ele acreditava que deveria estar. Tal e qual um equilibrista, Miguel se movia na corda bamba entre essas duas realidades, embora não tivesse tanta clareza dessa segregação. Nesse sentido, criou um novo lugar para poder estar, para respirar, para aliviar a tensão que o malabarismo lhe impunha: a vida vivida na virtualidade do *videogame*. Miguel jogava frequentemente – talvez, ao olhar de alguns, compulsivamente – e sentia-se aliviado numa realidade em que tudo estava supostamente sob seu controle. Um ponto curioso e importante incide no fato de que seu jogo favorito era o "Persona", *game* de origem japonesa que se atém à história de um grupo de adolescentes que, ao praticar um ritual conhecido como "Persona", encontram uma entidade chamada *Philemon*, a qual lhes dá a capacidade de invocar a materialização de seus *alter-egos*. No jogo, que conta com várias fases complexas e cinco edições diferentes que foram sendo publicadas ao longo dos anos, há diversos desafios existenciais que passam do encontro com a sombra à busca de si, com claros referenciais junguianos. Lá, no universo do jogo, ele realizava enfrentamentos. Porém, a repetição dessa única forma, aliada aos rituais cotidianos, dava um contorno obsessivo à sua busca, encolhendo sua mobilidade. Mais uma vez evoco o perigo dos atalhos. Numa perspectiva unidimensional, Miguel poderia ser reduzido ao diagnóstico de transtorno obsessivo-compulsivo (TOC), visto que vários elementos apontavam nessa direção. Mais do que sua lista de sintomas, interessou-nos aqui a dimensão existencial de sua experiência:

> A experiência vivida na neurose obsessiva compulsiva testemunha que o pensamento humano se faz labirinto, fortaleza, máquina totalitária própria para impedir o desenvolvimento existencial e alienar a liberdade [...]. O maquinário mental que se desencadeia tematiza indefinidamente os menores atos da cotidianidade e inibe qualquer ação em um clima de angústia, de dúvida, de culpabilidade, mantendo o paciente em uma estranheza radical. (Moreira e Chamond, 2012, p. 279)

Seria então a insistência no jogo apenas um sintoma ou a tentativa de sair de seu labirinto? Pelo viés da abordagem gestáltica, compreendemos que Miguel buscou uma saída criativa para seu conflito, uma forma de existir para além do seu sofrimento, e isso foi importante para a sua (re)organização. Fritz Perls (1981) nos apresenta o conceito de ajustamento criativo – que considero bastante inovador, pois além de retirar a mera rotulação dos distúrbios aponta para a saúde con-

Lilian Meyer Frazão e Karina Okajima Fukumitsu (orgs.)

tida nos modos de autorregulação, mesmo quando a cronificação o transpõe à neurose. O ajustamento criativo é o processo do contato na fronteira organismo/meio por intermédio da dinâmica de autorregulação. Não é um movimento meramente adaptativo, mas a busca de crescimento, singularidade e fluidez na relação com o meio. Perls destaca, ainda, que todo ajuste neurótico tem o ajustamento criativo como ponto de partida. Por isso, compreendi a ação de Miguel como busca de um tipo de equilíbrio e reordenação de seus conflitos. Ao jogar, tentava soluções para seu personagem no jogo e principalmente para si mesmo. Mas andando em círculos, envolvido em ansiedade e sofrimento extremos, havia perdido sua condição de restabelecer seu olhar periférico acerca de si e do mundo. Como sair do labirinto?

OLHANDO À VOLTA, RECOLHENDO PISTAS, (RE)CONHECENDO MUNDOS

Após algum tempo, em um de nossos encontros, conversamos acerca de um poema de Fernando Pessoa – "Liberdade" – que me fazia lembrar de Miguel. Ao compartilhar essa percepção, ele respondeu que mantinha esse poema colado em sua escrivaninha, mas não conseguia mais lê-lo, a despeito de ser um de seus favoritos. A coincidência nos confirma. Convido Miguel a lermos juntos o poema que estava comigo. Entre surpreso e assustado, ele se arrisca. Sentamo-nos lado a lado, respiração forte, leitura hesitante, estamos juntos: eu, Miguel, Fernando Pessoa, sua dificuldade de ler e o poema que nos liberta momentaneamente:

Liberdade

Ai que prazer
Não cumprir um dever,
Ter um livro para ler
E não fazer!
Ler é maçada,
Estudar é nada.
O Sol doira
Sem literatura.
O rio corre, bem ou mal,
Sem edição original.
E a brisa, essa,
De tão naturalmente matinal,
Como o tempo não tem pressa...
Livros são papéis pintados com tinta.
Estudar é uma coisa em que está indistinta
A distinção entre nada e coisa nenhuma.
Quanto é melhor, quanto há bruma,
Esperar por D. Sebastião,
Quer venha ou não!
Grande é a poesia, a bondade e as danças...
Mas o melhor do mundo são as crianças,
Flores, música, o luar, e o sol, que peca
Só quando, em vez de criar, seca.
Mais que isto
É Jesus Cristo,
Que não sabia nada de finanças
Nem consta que tivesse biblioteca...

Miguel começa e interrompe a leitura, tem dificuldade de prosseguir. Continuo a ler e ele, visivelmente emocionado, retoma a leitura comigo – tropeçando, errando, mas continua. Acabamos a leitura e numa certa cumplicidade compartilhamos no silêncio o medo, a surpresa e a suavidade desdobrada naquele momento. Uma das principais características da Gestalt-terapia consiste na ênfase dada ao experimento. É esse caráter vivencial da abordagem que a torna tão potente e exuberante. Perdoe-me o leitor se pareço repetitiva, mas evoco ainda mais uma vez o pertinente alerta de Laura Perls: há de se ter cuidado! O experimento não é um atalho, mas um recurso contextualizado no processo. Requer um sentido para acontecer, uma condição construída na própria relação terapêutica. Então, não deve ser compreendido como mera técnica de "encurtar caminhos". Mais do que isso, é um encontro com aspectos de si e da própria experiência. Tampouco é uma superprodução *hollywoodiana*. Pode emergir do que está ao nosso alcance imediato na relação e tem como premissa o respeito ao cliente, como bem nos aponta Jean Clark Juliano (1999, p. 42-43, grifos da autora):

> O experimento é qualquer coisa que aumente a consciência e pode ser bem pequeno como o espelhar de um gesto, o esclarecimento de algo que foi dito, uma simples pergunta ou comentário [...] A intenção do experimento é sempre a de enfatizar, apontar e sublinhar o que está presente no momento. Portanto, afinando a percepção do presente, aumentando a *awareness*. Além disso é preciso ter certeza de que a proposta está sendo feita *a serviço do cliente* e não para preencher lacunas na sessão ou na experiência do terapeuta.

Valorizar o tempo presente foi um recurso sutil que permeou muito dos nossos encontros. O diálogo que fomos construindo nos permitiu recolher muitas pistas pelo caminho e adentrar cada vez mais por outros interesses de Miguel, para além de sua batalha na vida universitária. Trocávamos dicas de filmes e músicas; além disso, ele expressava angústias e medos acerca da necessidade de finalizar o curso superior. Conversávamos por meio da arte, da música, do cinema, da poesia, restaurando as formas orgânicas de expressão no nosso possível, em busca de arejar o contato. Esse foi um bom recurso que encontramos e a linguagem poética, uma aliada:

> A poesia é, portanto, o contrário exato da verbalização neurótica, pois é a fala como atividade orgânica que soluciona problemas, é uma forma de concentração enquanto a verbalização é uma fala que tenta dissipar energia no ato de falar, suprimindo a necessidade orgânica e repetindo uma cena subvocal inacabada, em vez de concentrar-se nela. (Perls, Hefferline e Goodman, 1997, p. 131)

Certa vez comentamos o filme *Medianeras*, do cineasta argentino Gustavo Taretto (2011). Mais precisamente uma cena chamou-me a atenção e me fez lembrar dele. Nela, a personagem Mariana vai ao Planetário e relata como era bom estar lá, ver as imagens dos planetas, do universo em movimento e perceber que seus problemas pareciam menores diante dessa imensidão. Compartilhei isso com Miguel, que me ouviu atentamente, entre curioso e reflexivo. Na sessão seguinte, ele relatou ter passado o final de semana na casa da família na Serra, fora do Rio, algo que não fazia havia mais de um ano. Foi uma bela sessão: ele descreveu o lugar, o contato com os cães, o violão, a leveza, a surpresa de sair de seus controles. Então, relacionou essa experiência com a cena do filme sobre a qual conversáramos e reconheceu sentimentos da personagem em si. Expressou claramente quanto havia sido bom, quanto estava feliz por ter se deslocado em todos os sentidos.

Isso refletia uma ampliação de sua experiência, um retorno à condição de olhar à sua volta que estava lhe abrindo possibilidades para muitas novas experimentações: aprender uma arte marcial, estudar cinema num curso livre, retomar os estudos de violão numa conceituada escola contemporânea. Pouco a pouco desenrolávamos o labirinto e chegávamos perto da saída. Mas Miguel nutria expectativas de que a saída seria finalizar seu curso. Eu não podia dar-lhe essa garantia, não podia fazer isso acontecer. E pacientemente seguimos nossa jornada para a saída. Mas agora era possível apreciar o caminho.

O caminho ainda nos reservava algumas surpresas (há caminhada sem elas?), mas Miguel reconfigurava sua forma a cada passo, tornando seu embate ainda mais poético, porém não destituído da dor. Ela nos acompanhava, mas estava mais possível suportá-la. Em nossos encontros, algumas subversões e ousadias se interpunham. Miguel me enviou um dia, por WhatsApp, um clip com a seguinte mensagem: "Tava ouvindo de novo essa música aqui do filme *Na natureza selvagem* e lembrei que você foi uma das pessoas que tinham me sugerido assistir uns anos atrás, e ele se tornou um dos filmes da minha vida... Você deve se lembrar dessa música – "Guaranteed", de Eddie Vedder –, acho a letra uma das coisas mais emocionantes que existem".

Recebi com certa alegria a mensagem. Respondi com a seguinte tradução de um trecho da letra: "Vento em meus cabelos e me sinto parte de todos os lugares". Agradeci-o por ter me relembrado de um tema tão bonito. Miguel me enviou um *emoji* de uma carinha feliz, dizendo: "Também adoro este outro trecho: 'uma mente cheia de questões e um professor em minha alma'".

Percebi que Miguel estava fortalecendo seu autossuporte (Andrade, 2014), apropriando-se da rede que tecemos juntos como modo de amparar sua trajetória em busca de reconhecer seu contorno. Beisser (1973, p. 111), ao rejeitar o papel do terapeuta como transformador, mas afirmá-lo como aquele que encoraja, acompanha, permite que o cliente resgate sua autenticidade, diz que "[...] a mudança pode ocorrer quando o paciente abandona, pelo menos de momento, aquilo em que gostaria de se tornar, e tenta ser aquilo que é". Assim, avistávamos a saída do labirinto. Ela estava próxima.

RESTAURANDO A PONTE *ENTRE MUNDOS*: A INTEIREZA DE PODER *SER*

No segundo semestre, Miguel, já num modo mais aberto, solto e ciente de sua potência, chegou aflito à sessão, pois um fato novo e inesperado o atropelara: a instituição pública na qual cursava a graduação havia lhe enviado uma correspondência chamando-o para uma reunião que trataria das condições para que ele e outros alunos em situação semelhante finalizassem o curso. Por alongar o tempo de sua graduação em função dos percalços enfrentados, ter um trancamento e algumas reprovações, ele corria o risco de ser jubilado (palavra que mal conseguiu pronunciar). O chamado era amigável, as condições pareciam razoáveis. Passado o susto inicial, ele até se animou com a possibilidade de finalizar logo o curso – estava muito perto, faltavam sete disciplinas e a monografia – e chegou a achar bons os limites impostos. Afinal, queria sentir-se livre para seguir a vida, e concluir o curso era o final da tão almejada saída do labirinto.

Algumas semanas de ansiedade foram vividas entre remarcações, conversações e reflexões. A tensão foi se diluindo e finalmente, após a tal reunião, nos encontramos. Miguel pela primeira vez cogitou a possibilidade de abandonar o curso, deixar para trás algo que não fazia mais o mesmo sentido. Percebeu que estava apegado, aprisionado ao que acreditava que deveria ser feito, e isso não tinha mais lugar em suas experimentações. Ele cogitou essa possibilidade de deixar o curso não como uma derrota, mas como a liberdade de poder escolher. A escolha desenha-se aqui como um desdobramento do cuidado (Mol, 2008), e isso faz diferença na conscientização de seu processo. Já não precisava mais de comprovações para si – e menos ainda para o mundo. Percebemos que o labirinto ficara para trás, a saída se deu suavemente, a partir da *awareness* de que o trajeto que cumprira já o havia desviado para torná-lo simplesmente esse Miguel inteiro, não mais cindido e sem fantasias melancólicas acerca do futuro. Enfrentar, arriscar, reconhecer, validar, respirar, seguir, pausar, contemplar, compreender, aceitar, expressar são ações que foram sedimentando a ponte entre os mundos cindidos de Miguel. Foi por meio dessa dimensão sensível que amalgamamos essa construção que o levou a uma escolha arriscada e consciente, não mais identificada com o fracasso e a impotência.

APÓS A TRAVESSIA

Miguel continuava jogando Persona, mas o jogo ocupava agora outro lugar. E foi por intermédio dessa experiência que ele se mostrou interessado em Jung e muitas tessituras foram surgindo à medida que ele ressignificava sua relação com o jogo. Assim, de nossos investimentos nesse interesse, emergiu a ideia de cursar Psicologia. E aí que Miguel se encontra agora. Com hesitações, com marcas de sua história, mas respirando sem bloqueios e com maior noção de si e do mundo. Miguel sendo Miguel.

Decidi compartilhar com ele a intenção de transformar essa nossa jornada numa escrita – esta que ora faço –, pedindo-lhe permissão para tal. Emocionamo-nos juntos e ele consentiu. Nesse dia, ele tinha vindo direto da faculdade para o consultório e estava com o livro *Cartas a um jovem terapeuta* na mochila. Lembrou-se de um trecho que acabara de ler em seu grupo de estudos – sim, ele já formou um com os colegas – e o leu para mim:

Resumindo, meu jovem amigo que pensa em ser terapeuta, se você sofre, se seus desejos são um pouco (ou mesmo muito) estranhos, se (graças à sua estranheza) você contempla com carinho e sem julgar (ou quase) a variedade das condutas humanas, se gosta da palavra e se não é animado pelo projeto de se tornar um notável de sua comunidade, amado e respeitado pela vida afora, então bem-vindo ao clube: talvez a psicoterapia seja uma profissão para você. (Calligaris, 2004, p. 17)

Rimos e choramos juntos. Miguel segue inteiro, presente. E eu também. Seguimos na inspiração do belo trecho lido por ele (e nesse caso a leitura não é mero detalhe). Alerto o leitor para que não tome esse como um final feliz. Talvez nem ao menos seja um final. O manejo terapêutico na abordagem gestáltica é realmente desafiador e também integra ciência e arte, talvez nessa delicada ponte *entre mundos* que Miguel e eu vivemos juntos. Por isso é importante evitar os atalhos. Ele nos faz perder paisagens inusitadas e pode nos afastar da potência que emana da relação. Resgato aqui o que disse em outra oportunidade acerca desse fazer (Quadros, 2014, p. 40):

> Fazer clínica é diferente de aplicar conceitos. O fazer exige uma imersão, um embate, uma ação que transborda a intelectualidade e se realiza no campo. No fazer, o movimento se dá na totalidade, ou seja, num campo de afetações. Logo, terapeuta e cliente afetam-se mutuamente numa reflexividade que constitui uma potência distribuída nesta ação.

No mais, só me resta dizer: obrigada, Miguel!

REFERÊNCIAS

ANDRADE, C. C. "Autossuporte e heterossuporte". In: FRAZÃO, L. M.; FUKUMITSU, K. O. (orgs.). *Gestalt-terapia: conceitos fundamentais.* São Paulo: Summus, 2014, p. 147-62.

BEISSER, A. R. "A teoria paradoxal da mudança". In: FAGAN, J.; SHEPHERD, I. L. (orgs.). *Gestalt-terapia: teorias, técnicas e aplicações.* Rio de Janeiro: Zahar, 1973.

CALLIGARIS, C. *Cartas a um jovem terapeuta: o que é importante para ter sucesso profissional.* Rio de Janeiro: Elsevier, 2004.

GINGER, S.; GINGER, G. *Gestalt – Uma terapia do contato.* 5. ed. São Paulo: Summus, 1995.

HYCNER, R.; JACOBS, L. *Relação e cura em Gestalt-terapia*. São Paulo: Summus, 1997.

JULIANO, J. C. *A arte de restaurar histórias: libertando o diálogo*. São Paulo: Summus, 1999.

MOL, A. *The logical of care: health and the problem of patient choice*. Londres: Routledge, 2008.

MOREIRA, V.; CHAMOND, J. "O estilo existencial obsessivo compulsivo: Laura prisioneira de sua temporalidade". In: TATOSSIAN, A.; MOREIRA, V. (orgs.). *Clínica do Lebenswelt: psicoterapia e psicopatologia fenomenológica*. São Paulo: Escuta, 2012, p. 275-84.

PESSOA, F. *Cancioneiro*. Porto Alegre: L&PM, 2007.

PERLS, F. *A abordagem gestáltica e Testemunha ocular da terapia*. Rio de Janeiro: Zahar, 1981.

PERLS, F.; HEFFERLINE, R.; GOODMAN, P. *Gestalt-terapia*. São Paulo: Summus, 1997.

PERLS, L. *Entendidos e mal-entendidos da Gestalt-terapia*. Conferência de Laura Perls no Congresso da Associação Europeia de Análise Transacional, Áustria, jul. 1977.

QUADROS, L. C. T. "O cotidiano de uma Gestalt-terapeuta: a clínica dos pequenos acontecimentos". In: PRESTRELO, E. T.; QUADROS, L. C. T. (orgs.). *O tempo e a escuta da vida: configurações gestálticas e práticas contemporâneas*. Rio de Janeiro: Quartet, 2014, p. 37-50.

8
Gestalt, crianças e crescimento

ROSANA ZANELLA

"'Nós' não existe, mas é composto de eu e tu; é uma
fronteira sempre móvel onde duas pessoas se
encontram. E quando há encontro, então eu me
transformo e você também se transforma."

(Perls, 1977, p. 9)

Em Gestalt-terapia entendemos que a criança, ser no mundo, só pode ser compreendida como um todo. Isso significa que lidamos não apenas com o sintoma, mas também com a parte saudável da criança, fomentando suas possibilidades, sua criatividade, seu raciocínio, sua coordenação motora, sua organização espaçotemporal, sua socialização, suas emoções e seus sentimentos. A criança faz parte de um todo que inclui a família, a escola, os amigos, os parentes próximos, os cuidadores, os funcionários da casa – enfim, tudo que está em seu entorno. Dessa forma, ao atender uma criança, devemos nos encontrar também com sua família e, quando possível, com as pessoas que estão em contato com ela. É fundamental estabelecer uma parceria com a família, pois, embora trabalhemos com a criança, esta será também um agente de transformação familiar e devemos compreender as angústias que vivem aqueles ao seu redor. Receber e acolher os pais de forma respeitosa nos garante uma parceria que poderá trazer frutos ao nosso trabalho. Outro aspecto a ser considerado é que ao atender crianças resgatamos nossa criança interior; nossa criatividade e nossa expressão amorosa se presentificam durante as sessões, auxiliando-nos como terapeutas. Nas palavras de Antony (2012, p. 23):

> Por isso, o psicólogo que escolhe "estar-com" crianças precisa ter a sua criança interna bem conhecida, aceita, compreendida e, de certo modo, integrada à sua personalidade, pois assim saberá distinguir quando a sua criança ferida está se mostrando e quando é a sua criança feliz que está em cena.

Cada vez que recebo uma criança em terapia entro em contato com meu ser criança e assim procuro me vincular a ela para compreendê-la. A tarefa do terapeuta infantil é estabelecer um forte vínculo com a criança para que ela se sinta segura e confie no adulto que está se propondo a ajudá-la. Segundo Oaklander (1978, p. 218), o terapeuta deve "ajudar, com delicadeza e paciência, a criança a abrir as portas da autoconsciência e do autoencontro."

O caso que vou apresentar foi atendido há alguns anos e mostrou-se um grande aprendizado para minha existência como ser terapeuta.

Pedro (nome que escolhi utilizar) chegou ao meu consultório com 6 anos de idade. A queixa a ele atribuída era a de

Situações clínicas em Gestalt-terapia

que não conversava com ninguém: professores, colegas, parentes. Tivemos ao todo cerca de 80 sessões, com frequência bissemanal.

Pedro é o segundo filho: tem um irmão de 9 anos e uma irmã de 4. Estuda em escola particular, no primeiro ano do ensino Fundamental I. A anamnese mostrou desenvolvimento dentro do esperado, não revelando nada digno de nota que justificasse o fato de não conversar, no que tange aos aspectos neuromotores. A família tem hábitos simples: o pai trabalha em uma metalúrgica e a mãe se ocupa das tarefas do lar. De religião católica, eventualmente vão à missa, sendo os fins de semana dedicados a visitas aos familiares e passeios em *shoppings*. Pedro entrou na escola por volta dos 4 anos e até então não havia sido atribuída nenhuma queixa a ele. Os pais estavam preocupados, pois agora havia a exigência de que ele lesse oralmente. Nas primeiras entrevistas com a mãe, esta revelou que as crianças presenciavam várias discussões entre os pais. Pedro mostrava-se assustado e frequentemente chorava durante tais brigas. Em sua existência, percebeu que conflitos geravam brigas e aprendeu a se calar. Aprendeu a ficar isolado quando as discussões aconteciam, permanecendo em seu quarto. Percebemos aqui uma evitação de contato que em Gestalt-terapia denominamos deflexão. Cardella (2002, p. 62) diz que nesse ajustamento disfuncional ocorre

[...] o desvio da energia, para evitar envolvimento, intimidade, plenitude no contato. A pessoa não adere às situações, realizando manobras para evitar o envolvimento, por exemplo, utilizando abstrações, discursos prolixos, humor, esquivando-se do contato visual e físico.

1 2 5

Para Pedro, era menos doloroso calar-se do que enfrentar situações de confronto. Isso se generalizou para os ambientes que ele frequentava: escola, vizinhos etc. Assim, ele conversava apenas com os pais e os irmãos e dependia da mãe para satisfazer suas necessidades. Essa dependência revelava a falta de autoapoio e que seu único heterossuporte no momento era a mãe. Sabemos que as interações da criança com a família sevem de base para as relações de sua vida. Naquele momento, a mãe era a figura de referência na vida de Pedro. Segundo Fernandes (2014, p. 60),

> As interações iniciais constituem a base para o estabelecimento das primeiras relações. Assim, a criança configura seus vínculos afetivos com as pessoas que a cercam, desenvolvendo habilidades e recursos para conviver em situações sociais.

Pedro aprendeu a se calar diante das diversas situações sociais que se apresentavam em seu existir. Depois da entrevista e da anamnese, encontrei-me com Pedro. Era um menino magro de cabelos loiros muito claros e olhos azuis. Sua pele, de tão branca, parecia transparente. Entrou sozinho em meu consultório, olhou-me nos olhos e não disse nada quando tentei perguntar algo. Apresentei-me e perguntei se ele sabia por que estava ali. Ele apenas me olhou e baixou os olhos. Eu disse então que sua mãe relatara que ele não falava com as pessoas. Falei então que ele não precisava preocupar-se com isso, pois ali o espaço era para ele brincar, fazer desenhos... Enfim, o que quisesse dentro dos limites de nosso espaço. Fizemos um contrato de trabalho nas sessões e combinamos de nos encontrar duas vezes na semana. Pedro pegou uma folha de sulfite e começou a desenhar com lápis de cor. Enquanto desenhava, por vezes me dirigia o olhar. Desenhou um *trailer* e colocou muitos detalhes. Uma casa móvel com mesa, cadeiras, cama e vários outros objetos. Embora houvesse uma riqueza de detalhes em seu desenho, apenas uma pessoa estava na cena: o motorista. Descrevi o desenho sem interpretar. Disse-lhe que o desenho tinha muitas coisas interessantes e que parecia um *trailer*. Ele fez que sim com a cabeça, o que mostrou uma forma de interação. Comentei que o fato de haver apenas uma pessoa no *trailer* me chamou a atenção. Pedro olhava em meus olhos durante nossa conversa. Nosso tempo acabou e fiquei com um misto de alegria e conforto, pois havia uma riqueza interior pronta a ser revelada. É interessante notar que em Gestalt-terapia não fazemos interpretações nem damos significado ao material. Como diz Aguiar (2014, p. 150):

> Já o método descritivo da Gestalt-terapia possibilita à criança, por meio das intervenções descritivas do psicoterapeuta, construir gradativamente o significado do material que traz para a sessão, sem a interferência de qualquer "a priori" do terapeuta, seja ele de caráter teórico ou oriundo de seus próprios valores.

Dessa maneira, a descrição de seu material e de seus comportamentos possibilitaria uma maior expressão de seus sentimentos, o que aconteceu nas sessões que se seguiram.

Ora, a figura predominante de Pedro era "ele não lê", "ele não fala", "ele não conversa", e era assim que se apresentava ao mundo. Se pensarmos que o fundo dá contorno à figura, resolvi investigar o fundo a fim de descobrir suas possibilidades e suas potencialidades. Em Gestalt-terapia falamos de polaridades. Se naquele momento a polaridade não saudável de Pedro era a falta de comunicação verbal, a polaridade saudável haveria de aparecer na forma de outros comportamentos ou de outras formas de expressão. Foi o que aconteceu. Nas sessões seguintes, eu disse a ele que ficasse à vontade e que tínhamos brinquedos, jogos e materiais para escrever e desenhar. Nesse momento, Pedro olhou demoradamente em meus olhos, comportamento que se repetiria em todas as sessões e que me chamou atenção: seu olhar intenso. Foi nesse momento que percebi que tive empatia com Pedro. Na terapia com crianças, o vínculo terapeuta-cliente é imprescindível para o desenvolvimento do trabalho. De acordo com Axline (1972, p. 69), "o terapeuta deve desenvolver um amistoso e cálido relacionamento com a criança, de forma que logo se configure o 'rapport'", a fim de que se estabeleça empatia entre eles. Na terapia com crianças a linguagem é o brincar. A criança projeta nos brinquedos e nos desenhos seus sentimentos, conflitos e angústias.

As sessões que se seguiram foram dedicadas à construção do autossuporte e do heterossuporte. Pedro se utilizava dos materiais da caixa lúdica. Pegava os animais e fazia filas com eles, separando os domésticos dos selvagens. Em seguida, travava uma luta entre eles. Isso se repetiu durante várias sessões. Comecei então a fazer intervenções utilizando-me dos animais. E passei a descrever as lutas, dando voz aos comportamentos dos bichos. Com o passar das sessões, fui mostrando empolgação ao descrevê-los, como se estivesse narrando pela TV. Falava também dos sentimentos deles, da alegria de quem ganhou e da tristeza de quem perdeu, da força e da fra-

Situações clínicas em Gestalt-terapia

queza. Às vezes eu o frustrava, parando de falar. Pedro imediatamente também parava de brincar e me olhava intensamente, como que pedindo: continue. Vejo aqui que Pedro fazia um ajustamento criativo: impedindo-se de falar conseguiu, por meio do olhar, uma forma de se comunicar comigo. Além de brincar com os animaizinhos, fazia corridas com os carrinhos, que eu também descrevia e nas quais torcia com entusiasmo pelo ganhador. Outra forma de aproximação foi a corporal. Pedro gostava de "escalar" um armário em que eu guardava brinquedos. Quando ele subia, eu ficava atrás dele e ele se encostava em mim de tal forma que meu corpo lhe servia de suporte. Nesses momentos, eu o segurava abraçando. Apesar de não conversar comigo, Pedro mostrava-se bastante afetivo e entrava sorrindo nas sessões, sempre me abraçando. O clima era afetivo e amoroso; sentíamo-nos muito próximos um do outro. Isso favoreceu o desenvolvimento do heterossuporte comigo. Se no desenvolvimento humano o bebê precisa do suporte da mãe e gradualmente constrói o autossuporte, em terapia o cliente tem como heterossuporte o terapeuta, para que aos poucos desenvolva seu suporte próprio, o amadurecimento, a independência e o autoapoio, recorrendo ao apoio ambiental sempre que necessário. Andrade (2014, p. 149) afirma:

A partir da fecundação, para que o feto se desenvolva, o suporte da mãe é imprescindível, e ainda assim seu desenvolvimento também depende dele mesmo. Esse intercâmbio organismo-ambiente em que está inserto desde o princípio, em graus e situações muito distintos, demonstra que a pessoa necessita, desde o ventre materno, perceber onde e quando deve buscar suporte para seu crescimento, amadurecimento e para a realização de suas necessidades.

Como vimos, toda criança está envolvida por uma totalidade que inclui família, amigos, escola, professores e funcionários da escola, constituindo o que denominamos heterossuporte. Assim, ao atender uma criança, cabe ao terapeuta entrevistar as pessoas que fazem parte dessa rede de contatos, inclusive irmãos. Entendo que a escola é fundamental no existir de uma criança, uma vez que lá ela passa grande parte do dia e é nela que encontra pessoas de referência – como professores e colegas –, o que contribui para a formação do heterossuporte. Durante o período em que atendi Pedro, estive presencialmente duas vezes em sua escola, além de realizar conversas por telefone. Segundo a orientadora pedagógica, Pedro era uma criança tímida, que não conversava com ninguém na escola. Falou de seu potencial acadêmico, pois embora não se conseguisse se expressar verbalmente suas atividades pedagógicas estavam a contento e ele tinha boas notas. Precisávamos agir. Precisávamos fazer que Pedro interagisse mais tanto com a professora como com os colegas. Conversei com a orientadora sobre a possibilidade de ele ser requisitado a ajudar a professora e sobre atitudes que motivassem sua participação em grupos. Assim ficou combinado.

Continuamos nossos atendimentos, eu lhe emprestando minha voz, participando ativamente ao narrar as histórias que ele montava – ora desenhando, ora com animaizinhos, bonecos, carrinhos ou outro material disponível. Estávamos fazendo um caminho de desenvolvimento do suporte. Em todas as sessões eu participava ativamente, dramatizando por meio dos bonecos ou desenhando com ele e contando histórias. Certo dia, Pedro resolveu fazer pinturas com aquarela. Peguei também uma folha e desenhei uma família de patinhos nadando na lagoa. Ao final, contei-lhe a seguinte história:

Era uma vez o patinho Quá.
Quá gostava de nadar com a mamãe pata, os irmãos patinhos e o papai pato. Todos eles nadavam cantando: "Quaquaquaquá... Quaquaquá... Um dia, porém, o patinho Quá brigou com o quaquá dele.

O quaquá foi embora para bem longe. O patinho Quá não conseguia mais fazer quaquá.

Ele pedia: "Vem, quaquá, vem, quaquá!" Mas o quaquá não vinha.

Todos os patinhos podiam fazer quaquá, menos o patinho Quá.

Ele foi ficando triste, chateado mesmo, pois tinha muita vontade de fazer quaquá.

De tanto pedir, a voz do patinho Quá foi voltando devagarinho, bem devagarinho. Era um fio de voz: quaquaquaquá...

Aos poucos, o seu quaquá foi ficando mais e mais forte e o patinho Quá pôde então nadar e cantar com sua família: QUAQUAQUAQUÁ!

E foi assim que o patinho ficou muito feliz.

Após a história, nosso tempo acabou e saímos. O que aconteceu a seguir foi revelador. Ao projetar na história elementos da vida de Pedro, este os assimilou. O menino se identificou com o patinho da história e fez disso um ajustamento criativo. Iniciou-se o processo de autorregulação. Segundo Lima (2014, p. 90), de acordo com a teoria organísmica, é a autorregulação que permite que o organismo se organize para buscar modos eficientes de satisfazer no meio suas necessidades prementes. O processo de autorregulação organísmica é, na realidade, uma grande forma de interação e negociação entre aquele ser que busca os fechamentos e a resolução de uma situação de desequilíbrio – uma situação inacabada – por meio de uma ação no ambiente do qual o organismo é parte.

Na sessão seguinte, logo ao chegar, Pedro fez um som com a garganta. Pegou a aquarela, duas folhas, olhou para mim e fez com a garganta: "Hãhã". Eu disse bem baixinho: "Vamos pintar com aquarela! Aquarela, aquarela!" Pedro passou a sessão falando bem baixinho (no que eu o acompanhei). Nas sessões subsequentes, Pedro começou a experimentar narrar suas histórias por si mesmo, já não tendo necessidade de usar minha voz. Começamos então o processo de alteração do autossuporte. Cabe aqui mencionar que como Gestalt-terapeutas nos permitimos criar, ousar, propor experimentos e dramatizar, participando ativamente das sessões, permitindo que o lúdico aflore em nossas sessões e promovendo *awareness* e mudança. Para Zinker (2007, p. 17),

A terapia é um processo de mudança da *awareness* e do comportamento. O *sine qua non* do processo criativo é a mudança: a conversão de uma forma em outra, de um símbolo num *insight*, de um gesto num novo conjunto de condutas, de um sonho num desempenho emocionante. A criatividade e a terapia se entrelaçam num nível fundamental de transformação, metamorfose, mudança.

Cada vez mais Pedro foi mostrando seu potencial criativo com jogos e desenhos, permitindo-se conversar não apenas por intermédio dos brinquedos ou respondendo às minhas perguntas, mas também trazendo novidades da escola, de sua casa... Enfim, estabelecendo um diálogo com a terapeuta. Paralelamente às sessões com Pedro realizei encontros com a mãe. O pai compareceu uma vez a uma reunião e disse que fazia tudo pelos filhos, empurrando as mãos para a frente, em uma atitude de evitação de contato com a terapeuta. Não consegui seu comparecimento em outras sessões, que continuaram com a mãe. A orientação maior foi a de que procurassem não discutir na frente dos filhos e tentasse ter conversas amigáveis com a família. Durante esses encontros, a mãe comentou que Pedro estava conversando com o verdureiro e com algumas pessoas de fora da família. Realizei também sessões com Pedro e seus irmãos para observar o relacionamento entre eles e verificar a configuração familiar em que Pedro era o filho "sanduíche", criando o mito de que o irmão mais velho era extrovertido, a irmã mais nova menina e caçula e ele, um simples filho do meio.

Com as orientações aos pais e o desenvolvimento das sessões, um novo tema surgiu: a polaridade saudável começou a se tornar presente. Pedro passou a se interessar por jogos com Lego e tijolinhos de madeira, construindo casinhas e castelos. Sua riqueza interior ganhava forma. Iniciou-se um processo de polaridade saudável no qual ele pedia para mostrar suas construções à mãe, solicitando que ela entrasse nas sessões após a construção. Quando a mãe entrava eu dizia a ela: "Veja, o Pedro quer lhe mostrar as coisas lindas que ele sabe fazer!" A mãe elogiava, confirmando o saber de seu filho. Esse fato se repetiu algumas vezes até que ele mesmo dizia depois de terminar a construção: "Agora vou chamar minha mãe e você vai dizer pra ela que eu quero mostrar minhas coisas bonitas. E é isso mesmo!" Podemos pensar que Pedro estava de fato construindo seu autoapoio ao mostrar à mãe suas construções criativas.

Durante os encontros com a mãe, ela me revelou que Pedro tinha dificuldade de comer, tinha paladar seletivo e recusava alguns alimentos. Que gostava de ir ao McDonald's, mas mesmo lá não comia direito. Combinei com a mãe de convidá--lo a ir à lanchonete. Essa ideia surgiu para que expandíssemos suas fronteiras e ele pudesse experimentar conversar fora do ambiente protegido do consultório. Na primeira vez, Pedro apenas apontou o que queria e eu fui à caixa comprar. Após algumas idas à lanchonete, o próprio Pedro pediu seu lanche.

Nessa época, fui chamada para comparecer à escola. Conversando com a orientadora, esta me contou que Pedro continuava o mesmo, sem conversar. Pedi então a presença da professora. Como ela estava todas as tardes com Pedro, queria mais informações sobre ele. A professora contou então que Pedro só não estava conversando verbalmente, mas interagia muito com os colegas, participando das atividades propostas e "cutucando" os amigos. Descobriram também que ele conversava com a moça da papelaria, pois a professora passou a pedir a ele que buscasse materiais e ele retornava à classe com o material certo. Expliquei a elas que deveria ser difícil para ele começar a falar de repente em sala de aula, pois seria uma exposição muito grande naquele momento. Assim, sair da introjeção de que "eu sou o menino que não fala" demandaria certo tempo.

Situações clínicas em Gestalt-terapia

O processo terapêutico de Pedro estava em pleno desenvolvimento quando a mãe veio me contar que estavam planejando uma festa de aniversário para o menino (ele nunca tivera uma festa), que estava empolgado com a ideia. Em nossas sessões, Pedro contou sobre a festa, quem ele ia convidar e o que seria servido. Algumas sessões depois, ele me entregou o convite. Pensei em como nosso papel de terapeutas e como o processo de terapia são significativos para os clientes. Sabemos que a psicoterapia transcende o consultório e nos tornamos parte da vida do cliente. A empatia é uma via de mão dupla. O vínculo é do terapeuta com o cliente e do cliente com o terapeuta. Assim, resolvi aceitar o convite de Pedro e comparecer à festa. Cheguei, dei um presentinho a ele, fiquei tempo suficiente para registrar minha presença para Pedro e saí. A amorosidade na relação terapêutica permite que o vínculo se estreite. Somos parte da vida de nossos clientes enquanto eles estão em processo terapêutico, o que pode durar bastante tempo. Momentos singulares como um aniversário, um casamento, uma formatura, um nascimento e até mesmo um velório são situações em que considero importante o terapeuta estar presente, confirmando a atitude de presença.

O processo com Pedro estava chegando ao fim. No ano seguinte, ele passou a ter mais autonomia. Quando a nova professora pedia a cada aluno que lesse uma parte do texto em voz alta, Pedro o fez com a simplicidade de quem sempre assim o fizera.

Em uma de nossas últimas sessões, Pedro disse que faríamos um livro. Distribuiu folhas de sulfite para nós dois e pediu que eu desenhasse como ele. Segue a história:

A nuvenzinha solitária

Era uma vez uma nuvenzinha solitária. Ela queria ter amigos, mas não sabia como ter amigos.

Então vivia dando susto em todo mundo: fingia que estava machucada, fingia que estava morrendo, fingia até que era fantasma.

Um dia apareceu um anjinho montado num carneirinho que era uma nuvem.

Todas as nuvens podiam virar carneirinho, menos a nuvenzinha solitária.

Aí o anjinho começou a tocar sua harpa.

Quando estava tocando, escorregou na nuvem e caiu.

Então, quando começou a cair, a nuvenzinha solitária correu e ele ficou em cima dela.

O anjinho ficou muito contente. E a nuvenzinha solitária ficou mais feliz ainda, porque agora ela tem um companheiro.

A nuvenzinha solitária procura ajuda e recebe um anjinho de presente.

Seguem os desenhos da história de Pedro:

Assim, percebemos que Pedro conseguiu projetar a história de uma vida nesse relato. Seus sentimentos de solidão e o desejo de encontrar amigos. A amorosidade que se construiu durante as sessões proporcionou a Pedro uma alternância de figuras: do "eu não falo", "eu não converso", passamos para "eu tenho possibilidades", "eu posso conseguir".

Encerramos o processo terapêutico com a alegria do encontro e o sentimento de despedida. Deixamos uma porta aberta para possíveis retornos ou visitas. Os recursos internos e os ajustamentos criativos experienciados durante as sessões transcenderam para a vida de Pedro, que pôde assim reconfigurar sua existência de criança.

REFERÊNCIAS

AGUIAR, L. *Gestalt-terapia com crianças: teoria e prática*. São Paulo: Summus, 2014.
ANDRADE, C. "Autossuporte e heterossuporte". In: FRAZÃO, L. M.; FUKUMITSU, K. O. (orgs.). *Gestalt-terapia: conceitos fundamentais*. São Paulo: Summus, 2014.
ANTONY, S. M. R. *Gestalt-terapia – Cuidando de crianças: teoria e arte*. Campinas: Juruá, 2012.
AXLINE, V. *Ludoterapia – A dinâmica interior da criança*. Belo Horizonte: Interlivros, 1972.

Lilian Meyer Frazão e Karina Okajima Fukumitsu (orgs.)

CARDELLA, B. *A construção do psicoterapeuta*. São Paulo: Summus, 2002.

FERNANDES, M. "Psicoterapia com crianças". In: FRAZÃO, L. M.; FUKUMITSU, K. O. *Gestalt-terapia: conceitos fundamentais*. São Paulo: Summus, 2014.

LIMA, P. "Autorregulação organísmica e homeostase". In: FRAZÃO, L. M.; FUKUMITSU, K. O. (orgs.). *Gestalt-terapia: conceitos fundamentais*. São Paulo: Summus, 2014.

OAKLANDER, V. *Descobrindo crianças*. São Paulo, Summus, 1978.

PERLS, F. *Gestalt-terapia explicada*. São Paulo: Summus, 1977.

ZINKER, J. *Processo criativo em Gestalt-terapia*. São Paulo: Summus, 2007.

9
"Não precisamos ficar sozinhos..." – Desdobramentos de uma prática gestáltica de cuidado

ELEONÔRA TORRES PRESTRELO

O título deste capítulo é uma afirmativa de Aurora, aluna ingressante no curso de Psicologia do Instituto de Psicologia da Universidade do Estado do Rio de Janeiro (Uerj) e participante de um dos "GAPsi: grupos de apoio psicológico", projeto de extensão que coordeno nessa instituição. Frase potente nos desdobramentos possíveis de fazermos uma vida mais solidária, compartilhada em sentimentos e ações, uma vida em comum, prática cultivada mais facilmente em grupo.

Esse trabalho se orienta por um novo paradigma de cuidado, um cuidado que se faz na prática (Mol, 2008) e que acredita ser o humano um ser interdependente, um ser em relação (Mello e Nuremberg, 2012; Boff, 1999; Toro, 2010). Segundo o Gestalt-terapeuta Alejandro Spangenberg (2006), o princípio de interdependência regula a vida e nos mostra como precisamos uns dos outros para existir. É assim na natureza, é assim para os humanos... No grupo, o primeiro fator de "cura", segundo ele, seria a oportunidade de troca com o outro, e temos testemunhado isso ao longo do tempo.

O "GAPsi: grupos de apoio psicológico" surgiu das afetações diante do sofrimento presenciando nos corredores e salas da Uerj e de muitas outras universidades e, fazendo-se figura no cotidiano de meu trabalho como professora, supervisora e pesquisadora, transformou-se em um projeto de extensão e, mais tarde, em campo de pesquisa para o acolhimento dessas histórias numa tese de doutorado (Prestrelo, 2017). Nela, aponto que alguns trabalhos denunciam a mobilização vivida por estudantes quando ingressam na vida universitária. Segundo Teixeira *et al.* (2008, p. 192),

> [...] junto com o alívio e alegria pelo ingresso na universidade há também certo desamparo gerado pela experiência de perda de referências anteriores. Ter que lidar por conta própria com um grande volume de exigências, tanto acadêmicas quanto administrativas, é uma experiência que pode provocar sentimentos de estar perdido e pouca motivação.

Essa mobilização às vezes se desdobra em sintomas, como cansaço, dificuldades de aprendizagem e de concentração, esquecimento, perturbação do sono, irritabilidade, inquietação, insegurança, desânimo etc. Tais sintomas, muitas vezes identificados como "sofrimento difuso" (Fonseca, Guimarães e Vasconcelos, 2008), são queixas somáticas que estariam vinculadas ao entrelaçamento de fatores psíquicos e sociais, não sendo acolhidos nem pela clínica médica, nem pelos serviços de saúde mental – tornando-se assim parte do cotidiano da população. No caso dos estudantes, muitas vezes percebemos que alcançam níveis insuportáveis, traduzidos nas mais diversas expressões de sofrimento, incluindo ações extremas como tentativas de suicídio.

Quando olhamos para os alunos de Psicologia, outras questões se apresentam, dadas as características do curso. Demanda-se desses alunos que estudem, compreendam e lidem com o sofrimento alheio nas mais diversas ações relativas à sua formação, em sala de aula, nos estágios supervisionados, e muitas vezes nas pesquisas às quais estão vinculados.

Desenvolvemos então, há alguns anos, na universidade, um trabalho de acolhimento dessas demandas, desdobrando a experiência de anos de trabalho com grupos. Criou-se assim o "GAPsi: grupos de apoio psicológico", no qual utilizamos como referencial teórico-metodológico a abordagem gestáltica ou a terapia comunitária dependendo do tamanho do grupo, já que esta última constitui potente inspiração metodológica para o trabalho com grandes grupos – fazemos alguns deles com até 40 componentes.

Refiro-me à terapia comunitária como inspiração, dado que a abordagem gestáltica é para mim muito mais que uma orientação teórico-metodológica: trata-se de uma "filosofia" de vida, tal como defendia Perls (1979). Assim, mesmo utilizando as ferramentas da terapia comunitária, a leitura do vivido se faz gestáltica: na valorização da sensibilidade como forma de apreensão do mundo; na orientação do trabalho a partir do que se configura naquele momento, quando trabalhamos o que emerge numa relação perceptiva figura-fundo decorrente não apenas de uma percepção individual, e sim de uma figura que emerge no grupo; numa relação *com* o outro, proposição de construção coletiva daquilo que aparece como demanda de acolhimento.

O grupo acontece com aquilo que se faz presente em dado momento. Todos os participantes, inclusive as coordenadoras, são afetados pelo que aparece; o grupo não é função de um, mas de muitos, e todos são responsáveis por suas ações, afirmando a simetria nas relações grupais. As intervenções grupais se dão no compartilhamento de experiências, na expressão dos múltiplos atravessamentos das forças presentes, na afirmação dos modos de existência que colocam em cena a invenção de outras formas possíveis.

As intervenções realizadas se dão a fim de favorecer em todos os integrantes do grupo a possibilidade de se conectarem ao vivido. Como alerta Amatuzzi (2001, p. 53),

> Uma das coisas que caracterizam uma psicologia de inspiração fenomenológica é a importância dada ao vivido. Acredita-se que muitas vezes ele seja melhor guia para nossas ações concretas e para nossos pensamentos do que concepções ou ideias construídas mais ou menos artificialmente.

O vivido seria nossa reação não mediada pela reflexão ou pela elaboração de conceitos. Assim, priorizamos como porta de entrada no trabalho com o grupo uma primeira aproximação a partir do contato com nossa dimensão sensível. Contato é uma concepção central na abordagem gestáltica e se refere à ação de interação organismo-ambiente, movimento constante em nossa vida. Por meio do contato assimilamos ou rejeitamos elementos necessários ao nosso crescimento e amadurecimento (Perls, 1979). Na abordagem gestáltica, estimulamos a troca pelo contato ou a conscientização do como o fazemos para evitá-lo. No GAPsi estimulamos uma pausa para o contato com o sentir, o ouvir, o escutar e suas infinitas reverberações.

Os encontros do grupo atualmente duram entre 60 e 90 minutos e acontecem quinzenalmente, sempre no mesmo horário, numa sala do Serviço de Psicologia Aplicada (SPA) do Instituto de Psicologia da Uerj. Não se cobra dos integrantes o compromisso de regularidade. Estará ali aquele que quiser e quando quiser. Os encontros são divulgados pelas redes sociais disponíveis, pela lista de e-mails da secretaria do IP, do centro acadêmico dos estudantes, por nossas redes particulares, por nosso perfil no Facebook e por cartazes afixados nos espaços internos da universidade. Existem também aqueles alunos que chegam pela divulgação realizada "boca a boca" por membros mais assíduos do grupo.

Ao nos reunirmos na sala, sentamo-nos em círculo e debruçamo-nos sobre o que o grupo coloca como questão naquele encontro, abrindo espaço para a escuta de suas inquietações. Coordeno a discussão com algumas intervenções e, por vezes, as estagiárias do projeto o fazem (quando se sentem confortáveis para tal). Quando necessário, proponho algumas vivências para facilitar o contato com o que está sendo trazido e favorecer a troca de experiências.

Pensamos que a forma como nos colocamos na sala favorece a troca: sentar em círculo facilita a fala direcionada ao outro e sua escuta, e iniciamos o grupo sempre falando da importância de quando um estiver falando o outro atentar para escutar, de que quando alguém quiser falar levante a mão para que possamos escutá-lo, da importância de, naquele espaço, cada qual falar de si e não falar do/pelo outro. A própria formação circular já marca, a princípio, física e simbolicamente, a proposição do grupo como um espaço de troca assimétrico; não há uma hierarquia de lugares e o movimento se dá em qualquer direção.

Trarei ao texto a narrativa de uma sessão de grupo. Narrativa oriunda de elementos presentes em minha memória, na de estagiárias da época, Letícia Marques e Juliana Gonçalves, e de fabulação. Memória de um fazer conjunto, tecido numa proposição gestáltica da vida, narrativa de uma prática que se faz numa "vida vivida", não só pensada, teorizada. Já a fabulação é um ato que evoca nossas experiências, coloca-nos ativos, conecta sentidos. Fabular é narrar algo partindo do que nos passa, nos acontece. Condição inerente à narrativa, seu compromisso se dá com as conexões presentes no campo, em que as ações fomentam sua criação. Nenhum comprometimento com a "verdade", todo o comprometimento com o vivido! Em decorrência dessa proposição de escrita, não farei uma identificação nominal dos integrantes do grupo, entendendo que as questões aqui colocadas são comuns a muitos estudantes presentes em nossas universidades. Os nomearei então, utilizando nomes "comuns" à população brasileira, numa afirmativa de que, inclusive nas mobilizações que se fizeram figura no grupo, somos comuns/como uns, somos muitos!

Ao chegar à sala onde acontece o grupo, a maioria dos calouros já estava lá e os encontro em um clima de animação e agitação; faziam brincadeiras e sorriam. Me apresento[1], falo um pouco do projeto, de como funcionaremos naquele en-

---

1. O leitor perceberá que escolho uma colocação pronominal, a próclise, para marcar no texto a forma de falar o português usada no nosso cotidiano. Para justificá-la, me apoio em Domingos Paschoal Cegalla (2010, p. 540 e 545), que afirma: "Na pronúncia do Brasil, as formas pronominais oblíquas não são completamente átonas; são, antes, semitônicas. Assim se explica por que entre nós é predominante a tendência para a próclise: Ele terá de se explicar" [...] "[...] o pronome átono proclítico ao verbo principal espelha um fato inequívoco da língua falada e escrita no Brasil. A gramática não pode senão sancioná-la".

contro etc. Iniciamos o trabalho nos dando as mãos, formando uma roda e possibilitando uma troca energética: a mão direita para cima se faz doadora, a esquerda embaixo se faz receptora. Depois de posicionados dessa forma, peço que fiquemos de olhos fechados, atentos ao fluxo de nossa respiração, e, em contato com o que aparece, lancemos palavras que nos atravessem no momento, que se façam figura no contato aqui e agora. Palavras como ansiedade, medo, estresse, insegurança, empatia, indignidade, sexualidade e compartilhamento são enunciadas. Palavras que estarão presentificadas em suas vivências no decorrer do encontro.

Acreditamos que, ao abrirmos espaço para o contato com aquilo que se faz presente, fazemos emergir as Gestalten abertas. Para isso se faz necessária a concentração no "aqui e agora" – função organísmica que consiste em estar atento e alerta ao que se passa agora com a própria respiração, aos movimentos corporais, às contrações musculares – por meio do contato com as sensações presentes. Sensações que nos chegam pelos sentidos: visão, audição, tato, tom de voz, movimentos etc. Afinal, "nada existe exceto o 'aqui e agora'. O agora é o presente, o fenômeno, aquilo do que me dou conta, aquele momento em que trazemos nossas memórias e expectativas" (Vásquez, 2000, p. 285, tradução nossa).

Com essa proposição, estimulamos o contato com a necessidade emergente, pois, como disse Perls (1979, p. 84), "talvez a propriedade mais interessante e importante da Gestalt seja a sua dinâmica – a necessidade que uma Gestalt forte tem de se fechar". Nós experienciamos essa dinâmica diariamente, inúmeras vezes. Ao darmos um passo à frente, caracterizamos a responsabilização pelo que se quer trabalhar "aqui e agora", condição essencial ao desdobramento de todo trabalho terapêutico.

> Uma das características fundamentais da abordagem gestáltica é enfatizar o processo de *awareness* (dar-se conta, conscientizar-se), compreendendo que o Homem deve estar atento a si próprio, mantendo a presentificação da experiência e sua integração à ordem do vivido, através do fluxo de consciência. (Prestrelo e Quadros, 2009, p. 12)

O "aqui e agora" está presente em todas as fases do ciclo de contato (Zinker, 2007; Ribeiro, 1985), tentativa de sistematizar o movimento funcional de fechamento (ou impedimento) de Gestalten: a formação da figura, o dar-se conta e tomada de consciência da necessidade emergente, a mobilização para satisfazê-la, a ação que a sacia e o que se faz presente após esse movimento.

E o fato de as palavras serem sintônicas entendemos como efeito da mobilização das forças presentes no campo. Na Gestalt-terapia não compreendemos aquilo que acontece como algo que advém de uma causa originária e mais importante que todas as outras. A compreensão dos fenômenos se dá na inter-relação entre eles em certo momento. Assim, só podemos nos dar conta daquilo que acontece no momento presente. Por isso priorizamos a pergunta orientadora do "como" e "para quê": "O *como* nos direciona para o complexo 'mar' das interações que atualizam um comportamento" (Spangenberg, 2006, p. 14, tradução nossa). Robine (2006, p. 35) acrescenta:

Situações clínicas em Gestalt-terapia

O fenômeno comporta uma intencionalidade desde sua origem, não se trata mais de consciência, mas sim de *consciência de...* alguma coisa, *awareness de...* [...] A emergência de uma figura não é mais do que a emergência de uma direção de sentido, o que talvez tentamos dizer de modo um pouco desajeitado quando falamos de "necessidade" como figura de pré-contato.

O COMUM NOS DIZ: SOMOS MUITOS!

Dos temas apresentados, na maioria relacionados à ansiedade, o de Maria foi aquele que teve mais ressonância no grupo; assim, escolhemos ouvi-la. Maria fala de sua ansiedade em querer controlar as coisas ao seu redor, o que a faz ter vários pensamentos durante a noite e a impede de dormir. E então compartilha muitas outras coisas relacionadas a esses sintomas. Diz que desenvolveu "síndrome do pânico" por conta dessa ansiedade. Chora bastante, há muita angústia presente, me parece não estar acostumada a fazer contato com essa mobilização, a falar disso. Relata que é muito próxima do pai, referindo-se a ele como a pessoa que mais ama no mundo. Explica que desde nova sempre se preocupou muito com ele, que aos 10 anos ia buscá-lo no bar, e que cresceu dessa forma, juntamente com o sentimento de querer consertá-lo. Com isso, explicita quanto o fato de querer controlar as coisas está relacionado ao fato de que sempre quis controlar o que acontecia na família – e quanto isso lhe faz mal, trazendo apenas prejuízos. "Porque, afinal, sou eu que fico desde os 11 anos sem conseguir dormir." Perls (2002) já chamava atenção para o fato de que a insônia seria um fenômeno revelador da presença de Gestalten abertas, sendo a melhor forma de lidar com elas buscar fechá-las. O autor critica a busca de remédios, de técnicas de relaxamento etc. para saná-las, práticas vistas por ele como adiamento do fechamento de Gestalten. Como afirma Castanedo (2004, p. 27, tradução nossa),

> o objetivo da Gestalt-terapia é que essas necessidades não satisfeitas apareçam no nível da consciência no campo perceptivo da pessoa, o que se consegue trabalhando com as emoções que aparecem quando surge esse conjunto de coisas esquecidas (deixadas no "baú" de memórias) e que, no entanto, ainda estão ativas. É preciso que os assuntos inacabados retomem sua forma específica em todo o organismo – corpo, emoção, mente.

Pergunto a Maria como se sente ao compartilhar isso conosco, e a palavra que sai de sua boca em meio às lágrimas é "alívio". Ela acrescenta ainda como é bom não guardar mais aquilo. Acolho esse sentimento, ficamos um pouco em contato com ele. Pergunto-lhe com quem mais ela mora e o que, segundo seu entendimento, a levou a tomar esse lugar de cuidadora da família. Maria explica que mora com o pai, a mãe, a avó e o irmão mais velho, o qual tem muitos problemas. Conta que assumiu esse lugar porque foi esse que demandaram dela. Demonstra quantas responsabilidades tem posto e carregado sobre seus ombros, pois diz precisar cuidar da mãe para que esta não se sinta tão sozinha. Descreve a mãe como uma mulher que vive em meio à solidão por não ter um marido presente e também por não trabalhar. Diz precisar cuidar do irmão para que ele e o pai não briguem, e assim por diante. Nesse momento seu choro se acentua, seu corpo se arca, levanto e me aproximo dela, lhe ofereço a caixa de lenços e aguardo. Sinto-me tocada, tão nova, tanto sofrimento! Afetação que se faz no grupo. Sua respiração está curta, entrecortada por soluços. Estendo-lhe a mão, que logo é acolhida, e faço menção a que levante. Me posiciono diante dela e, olho no olho, de mãos dadas, vamos inspirando e expirando lentamente até o fazermos mais livremente. Quando o choro cessa e Maria parece mais calma, pergunto-lhe: "Agora, você está pronta?" Ao que ela responde: "Para quê?" Então lhe digo: "Para receber um abraço!" Ela consente; instantaneamente, todos os membros do grupo se levantam e se agrupam ao seu redor, lhe dando um grande abraço. Assim cuidamos dela, num abraço que aos poucos vamos transformando num lento e delicado balanço de ninar. Ela chora mais um pouco, eu a estimulo a respirar e a soltar o ar lentamente, movimento acompanhado pelo grupo. De repente somos um todo, inspirando e expirando de modo integrado, nos ninando a todos. Ao término do encontro, esta foi a imagem que ficou bem forte para mim: todos aqueles corpos, unidos, com movimentos respiratórios semelhantes, como se fosse uma dança, como se fossem um só organismo. Na abordagem gestáltica denominamos tais intervenções "experimentos". Eles emergem da interação ali presente, não se constituem em aplicação de técnicas que se pense em usar, eleitas *a priori* do que acontece, destituídas de sentido. E como tão bem nos lembra Stevens (1978), o sentido é algo pré-verbal. "O experimento emerge da relação, na tentativa de ativação de um *continuum* de consciência e da conscientização de possíveis" (Prestrelo *et al.*, 2016, p. 90). Essa diretriz metodológica compreende que experimentar é aprender e que

[...] o que é essencial não é que o terapeuta aprenda algo sobre o paciente e então lhe ensine, mas que o terapeuta ensine o paciente *como* aprender sobre si mesmo. Isso envolve o fato de ele tomar diretamente consciência de *como*, sendo um organismo vivo, ele funciona na verdade. Isto se consegue com base em experiências não verbais. (Perls *apud* Stevens, 1978, p. 56)

Voltamos a nossos lugares e, seguindo nosso encaminhamento de trabalho, pergunto quem quer compartilhar experiências nas quais tenham tentado mudar ou controlar algo ou alguém.

João compartilha ser muito fechado para falar de si para os outros – "Não gosto de me sentir vulnerável" –, mas diz reconhecer que guardar as coisas só para si lhe custa muito, tirando-lhe, inclusive, a liberdade de ser o que é. Outra aluna, Antônia, diz compartilhar de um sentimento parecido com o de João: "Os outros colocam um olhar sobre você e acham que você é forte, e quando você se descontrola elas não entendem". Por isso, afirma ter dificuldade de se expor e romper esse ciclo, pois fazê-lo significaria permitir às pessoas verem-na como fraca. Acolho-os e problematizo: digo que nos fazemos também a partir do olhar do outro, tanto no que nos facilita quanto no que nos dificulta. Será que ao falar e expressar nossos sentimentos estaríamos sendo fracos? Quando não permitimos a troca, também perdemos o olhar do outro – inclusive, perdemos o contato do outro em nós. Reparo nos olhos atentos, nos assentimentos com a cabeça. É interessante quanto esse tipo de manejo de grupo permite intervenções aparentemente "casuais", mas tão potentes, dadas na simples troca e no compartilhamento entre nós. Inês, uma aluna veterana, traz algo que ressoa em todo o grupo: "Chega um ponto que não dá mais. Quando eu demonstro que sou fraca é muito bom. Ser forte é bom e ser fraco também é [...] ser fraco traz a possibilidade de o outro ajudar quando não suportamos sozinho. O que constrói a solidariedade é a gente poder perceber o que o outro pode dar e saber receber. Um carro anda, anda, anda... Chega uma hora que ele tem que parar, seja para abastecer ou para alguém consertar". Outro aluno, Pedro, completa a fala de Inês: "Tem hora de ser o mecânico e hora de ser o carro". Graça, Joana e Antônia demonstram reagir de forma diferente e mais aberta em relação à divisão de conteúdos mais íntimos, o que, entretanto, não anula para elas o contato com o sofrimento. Graça diz ser muito aberta, mas se expõe a fim de se manter na defensiva. Joana pontua que não tem problemas em falar de si, mas se incomoda por se doar demais para as pessoas – doação à qual, segundo ela, não recebe retribuição à altura. Diante dessa fala de Joana, argumento que talvez ela possa ver até onde pode se dar sem se sentir roubada, pois quando a gente dá "tá dado!" Alguns risos. Antônia compartilha que desvalorizava as relações, "cagava e andava para as pessoas", mas que, com a terapia individual, percebeu que aquilo lhe fazia mal, pois "cagar pros outros, em certa medida, é cagar pra si mesma". O grupo vai calando, percebo que podemos ir fechando o trabalho. Ao final, João afirma: "Compartilhar experiências é a coisa mais fantástica da face da Terra! Não tenho palavras... Expor nossas fraquezas é a melhor forma de ficar em pé. Se abrir é algo muito bom".

É sempre uma experiência enriquecedora ver os membros do grupo fazendo intervenções terapêuticas uns para os outros no compartilhamento de seus modos de ser, não esperando que a intervenção venha necessariamente de mim. Aprendo com eles. Sim, somos seres interligados, interdependentes, desde o nascimento necessitamos de redes de suporte para nos constituirmos como humanos e continuarmos assim. A possibilidade de vivenciar essa troca ativa a criação de redes de apoio que nos servirão dentro e fora da universidade. Redes que se tecem nos olhares posteriores de reconhecimento entre nós – não mais anônimos, não mais sozinhos.

O grupo terminou com a formação de um círculo em movimentos leves, em que cada um falou em voz alta o que estava presente naquele momento: tolerância, humildade, conforto, felicidade, empatia, coragem, confiança e alívio. Ao soltar as mãos, espontaneamente, nos abraçamos. Para mim, cada abraço dado tinha gosto de partilha...

REFERÊNCIAS

AMATUZZI, M. M. *Por uma psicologia mais humana*. Campinas: Alínea, 2001.

BOFF, L. *Saber cuidar – Ética do humano: compaixão pela terra*. Petrópolis: Vozes, 1999.

CASTANEDO, C. "Introdução à segunda edição espanhola. Como fechar assuntos inacabados: lembrando Laura Perls no décimo aniversário de sua morte". In: CASTANEDO, C. *Laura Perls: viviendo en los límites*". Cidade do México: Plaza y Valdés, 2004.

CEGALLA, D. P. *Novíssima gramática da língua portuguesa*. São Paulo: Companhia Editora Nacional, 2010.

FONSECA, M. L. G.; GUIMARÃES, M. B. L.; VASCONCELOS, E. M. "Sofrimento difuso e transtornos mentais comuns: uma revisão bibliográfica". *Revista de APS*, v. 11, n. 3, 2008, p. 285-94.

MELLO, A. G.; NUREMBERG, A. H. "Gênero e deficiência: interseções e perspectivas". *Estudos Feministas*, v. 20, n. 3, 2012, p. 635-55.

MOL, A. M. *The logic of care: health and the problem of patient choice*. Nova York: Routledge, 2008.

PERLS, F. S. *Escarafunchando Fritz: dentro e fora da lata de lixo*. São Paulo: Summus, 1979.

Situações clínicas em Gestalt-terapia

_____. *Ego, fome e agressão: uma revisão da teoria e do método de Freud*. São Paulo: Summus, 2002.

PRESTRELO, E. T. *Histórias que (nos) contam: o encantamento dos dias de uma "vida vivida"*. Tese (Doutorado em Psicologia) – Universidade Federal Fluminense, Niterói (RJ), 2017.

PRESTRELO, E. T. *et al.* "'Ouvir é como a chuva': o apoio psicológico como parte da formação em psicologia". *Pesquisas e Práticas Psicossociais*, v. 11, n. 1, jan.-jun. 2016.

PRESTRELO, E. T.; QUADROS, L. C. T. "Abordagem gestáltica: um resgate da dimensão sensível do humano". *Revista Estudos e Pesquisas em Psicologia*, v. 9, n. 1, 2009, p. 10-15. Disponível em: <http://www.e-publicacoes.uerj.br/index.php/revispsi/article/view/9131/7506>. Acesso em: 20 set. 2018.

RIBEIRO, J. P. *Gestalt-terapia: refazendo um caminho*. São Paulo: Summus, 1985.

ROBINE, J.-M. *O self desdobrado: perspectiva de campo em Gestalt-terapia*. São Paulo: Summus, 2006.

SPANGENBERG, A. *Terapia Gestalt: un camino de vuelta a casa – Teoría y metodología*. Montevidéu: Psicolibros-Universidad, 2006.

STEVENS, B. *Não apresse o rio (ele corre sozinho)*. São Paulo: Summus, 1978.

TEIXEIRA, M. A. P. *et al.* "Adaptação à universidade em jovens calouros". *Revista Semestral da Associação Brasileira de Psicologia Escolar e Educacional*, v. 12, n. 1, 2008, p. 185-202.

TORO, B. *Courage to ask for help – Bernardo Toro at TEDx Amazonia*. 2010. Disponível em: <http://www.youtube.com/all_comments?v=5nivihNqbXk>. Acesso em: 20 set. 2018.

VÁSQUEZ, F. "La relación terapéutica del 'aquí y el ahora' en terapia gestáltica". *Anais da Faculdade de Medicina, Universidad Nacional Mayor de San Marcos (Peru)*, v. 61, n. 4, 2000, p. 285-88.

ZINKER, J. C. *Processo criativo em Gestalt-terapia*. São Paulo: Summus, 2007.

Os autores

Alysson de Oliveira Mendes
Psicólogo pela Universidade Barão do Rio Branco. Psicoterapeuta, aluno da Primeira Turma de Formação em Gestalt-terapia do Acre pelo Centro de Capacitação em Gestalt-terapia (CCGT) de Belém do Pará e aluno da especialização *lato sensu* em Ontologia, Conhecimento e Linguagem na História da Filosofia pela Universidade Federal do Acre (Ufac). Membro do Grupo de Estudos em Gestalt-terapia do Acre (GEEGT) desde 2016.

Beatriz Helena Paranhos Cardella
Psicóloga, psicoterapeuta e supervisora clínica. Mestre em Educação e especialista em Psicologia Clínica e em Gestalt-terapia. Professora convidada e membro efetivo do Departamento de Gestalt-terapia do Instituto Sedes Sapientiae. Professora do curso de Formação em Gestalt-terapia do Centro de Estudos e Pesquisas em Gestalt-terapia de Campinas (Satori-GT). Coordenadora dos Grupos de Estudos de Temas Clínicos, trabalho de formação continuada para psicoterapeutas em São Paulo e Campinas. Autora dos livros: *O amor na relação terapêutica* (Ágora, 1994), *A construção do psicoterapeuta* (Ágora, 2002), *Laços e nós: amor e intimidade nas relações humanas* (Ágora, 2009) e *De volta para casa: ética e poética na clínica gestáltica contemporânea* (Foca, 2017).

Lilian Meyer Frazão e Karina Okajima Fukumitsu (orgs.)

Eleonôra Torres Prestrelo

Psicóloga, Gestalt-terapeuta, mestre em Psicologia Clínica pela Pontifícia Universidade Católica do Rio de Janeiro (PUC-RJ) e doutora em Psicologia pela Universidade Federal Fluminense (UFF). Vinculada ao Grupo de Pesquisa Entre_Redes (CNPq), professora de Gestalt-terapia no Instituto de Psicologia da Universidade do Estado do Rio de Janeiro (Uerj) e pesquisadora interessada em histórias e práticas de cuidado. Coordenadora dos projetos de extensão "Laboratório gestáltico: configurações e práticas contemporâneas" e "GAPsi: grupos de apoio psicológico", e do Núcleo de Extensão do Instituto de Psicologia da Uerj. Autora de diversos artigos publicados em livros e revistas nacionais, e co-organizadora do livro *O tempo e a escuta da vida: configurações e práticas contemporâneas* (Quartet, 2014). Professora convidada de cursos de especialização em Gestalt-terapia do estado do Rio de Janeiro. Uma nordestina, natural de Pernambuco, que anda pela vida ouvindo, contando e fazendo histórias.

Fátima Aparecida Gomes Martucelli

Psicóloga clínica, mestre em Psicologia Clínica pela Pontifícia Universidade Católica de São Paulo (PUC-SP). Gestalt-terapeuta pelo Instituto Sedes Sapientiae, onde atualmente é professora e coordenadora do setor de Cursos Diversos do Departamento de Gestalt-terapia. Formação em Cinesiologia pelo Instituto Sedes Sapientiae, em Filosofia Oriental pelo Instituto Pain Lin e em Psicologia Transpessoal pela Nazaré Uniluz. Professora convidada para ministrar o curso de Sonhos em vários núcleos de formação em Gestalt-terapia do Brasil. Treinamento em *workshops* no Brasil com Richard Hycner, Lynne Jacobs, Serge e Anne Ginger, Gary M. Yontef, Michael Vincent Miller e Joseph Zinker.

Laura Cristina de Toledo Quadros

Gestalt-terapeuta, doutora em Psicologia Social (Uerj), professora adjunta do Instituto de Psicologia da Universidade do Estado do Rio de Janeiro (Uerj), supervisora e chefe do Serviço de Psicologia Aplicada da Uerj. Professora da Pós-Graduação em Psicologia Social da Uerj, coordenadora do Projeto COMtextos: Arte e livre expressão na abordagem gestáltica e vice-coordenadora do Laboratório Gestáltico. Professora de cursos de especialização em Gestalt-terapia no estado do Rio de Janeiro. Co-organizadora do livro *O tempo e a escuta da vida: configurações gestálticas e práticas contemporâneas* (Quintet, 2014) e autora de artigos na área. Ganhadora do prêmio Fritz Perls (2009) e pesquisadora do grupo Entre_Redes, do CNPq.

Lucas Caires Santos

Psicólogo formado pela Universidade Federal da Bahia (Ufba). Fez parte do projeto de iniciação à pesquisa "Corpo e imaginário: interdições, *performance*s e produção de audiovisual" por meio do plano de trabalho "Estudos sobre a *performance* de gênero", bem como do projeto "Psicologia e população LGBT: políticas públicas e educação em saúde para a garantia de direitos". Foi monitor no grupo de estudos "Produção de subjetividade, sexualidade e gênero". Estagiou no Centro de Atenção Psicossocial II (Caps II) do município de Vitória da Conquista (BA), com abordagem em Gestalt-terapia.

Luciane Patrícia Yano

Psicóloga pela Universidade da Amazônia de Belém do Pará e especialista em Comunicação Assertiva e Social Skills Training pela Miyazaki National University do Japão. PhD em Humanities and Social Sciences pela Nagoya City University do Japão; e mestre e doutora em Psicologia Clínica e Cultura pela Universidade de Brasília (UnB). Gestalt-terapeuta pelo Centro de Capacitação em Gestalt-terapia (CCGT) de Belém do Pará. Docente na Universidade Federal do Acre (Ufac). Supervisora clínica (avaliação psicológica) em abordagem gestáltica. Coordenadora do Grupo de Pesquisas e Extensão em Estudos Fenomenológico-Existenciais da Ufac desde 2015. Fundadora e facilitadora do Grupo de Estudos e Experimentos em Gestalt-terapia da cidade de Rio Branco (AC). Membro da divisão 12 da American Psychological Association (APA).

Lilian Meyer Frazão e Karina Okajima Fukumitsu (orgs.)

Maria Aparecida Barreto

Psicóloga, psicoterapeuta e especialista em Gestalt-terapia pelo Instituto Sedes Sapientiae. Pós-graduada em Metodologia do Ensino Superior pelo Centro Universitário das Faculdades Metropolitanas Unidas (FMU). Acupunturista formada pela Associação Brasileira de Acupuntura (ABA). Trabalha em clínica psicossomática com equipe multidisciplinar e em consultório particular há 34 anos, atendendo adultos, adolescentes, casais e famílias.

Rosana Zanella

Psicóloga, psicoterapeuta e mestre em Psicologia da Saúde pela Universidade Metodista de São Paulo (Umesp). Especialista em Psicologia Clínica pelo Conselho Federal de Psicologia (CFP) e em Gestalt-terapia pelo Instituto Sedes Sapientiae, onde é professora no Departamento de Gestalt e coeditora da *Revista de Gestalt*. Coordenadora do curso "A clínica gestáltica infantojuvenil". Autora de capítulos de livros sobre Gestalt com crianças e adolescentes e organizadora do livro *A clínica gestáltica com adolescentes* (Summus, 2013). Cocoordenadora do curso de especialização em Gestalt na Universidade Cruzeiro do Sul (Unicsul). Professora do curso de Psicologia das Faculdades Metropolitanas Unidas (grupo Laureate).

Selma Ciornai

Psicóloga e Gestalt-terapeuta formada pelo San Francisco Gestalt Institute (EUA), é doutora em Psicologia Clínica (Saybrook/USP) e atua como psicoterapeuta há 35 anos. Docente do Instituto Sedes Sapientiae, do Instituto Gestalt de São Paulo e da especialização em Gestalt da Universidade Cruzeiro do Sul, participa da formação de Gestalt-terapeutas em vários institutos do Brasil. Profissional convidada em países latinos, é também pioneira da arteterapia gestáltica no Brasil. Publicou artigos em revistas de Gestalt nacionais e internacionais (*The Gestalt Journal*, *Cahiers de Gestalt-thérapie* etc.). Autora e organizadora da Coleção Percursos em Arteterapia (Summus, 2004-2005), é coautora de *Gestalt-terapia: encontros* (IGSP, 2009), *Modalidades de intervenção clínica em*

Gestalt-terapia (Summus, 2016) e *Questões do humano na contemporaneidade* (Summus, 2017).

Sérgio Lizias Costa de Oliveira Rocha

Psicólogo graduado pelo Centro de Estudos Superiores de Maceió. Especialista em Psicologia Clínica. Mestre e doutor em Educação pela Universidade Federal do Ceará (UFC). Co-organizador do livro *Gestalt e gênero* (Livro Pleno, 2005). Realizou pesquisa sobre a história dos brinquedos de meninos e meninas orientado por Michel Manson, na Universidade Paris XIII – Villetaneuse (Capes, 2007). Entre seus temas de estudos e pesquisas atuais estão: estudos de gênero, clínica ampliada, processos de subjetivação e produção de audiovisuais. Professor adjunto da Universidade Federal da Bahia (UFBA) – campus Vitória da Conquista.

www.gruposummus.com.br